聚焦三农:农业与农村经济发展系列研

农户使用农业机械行为研究

杨钢桥　洪建国　著

Study on the Behavior of Farmcr Household Using Farm Machinery

科学出版社

北　京

内 容 简 介

本书首先提出一个适于分析中国农户经济行为的理论模型。在这一模型中，根据中国农户劳动供给特征，替代弹性大于 1 的 CES 效用函数被设定为农户效用函数；根据中国农户所面临的生产环境，离散的劳动报酬曲线被用来描述农户生产行为。此农户行为模型可以较好地分析农户的生产决策，如何通过影响农户的劳动报酬曲线进而影响农户的效用水平。然后，基于所提出的农户行为模型，本书对农户使用农机这一具体生产行为进行了理论分析。在理论推导中，本书提出农户使用农机后对农业收入减少量的"容忍值"（Tolerance Value）概念，基于这一个概念，对一般农户及不同类型农户使用农机行为的临界点及其影响因素进行了推导。接着，本书采用农户调查数据，对农户使用农机行为进行了实证分析。

本书可为学习或研究农民经济学、农户经济行为以及关注中国农民问题的科研院所研究人员、高等院校师生提供参考。

图书在版编目（CIP）数据

农户使用农业机械行为研究／杨钢桥，洪建国著. —北京：科学出版社，2012（2017.3 重印）

（聚焦三农：农业与农村经济发展系列研究：典藏版）

ISBN 978-7-03-032866-3

Ⅰ.①农… Ⅱ.①杨…②洪… Ⅲ.①农业机械－使用方法－研究
Ⅳ.①S22

中国版本图书馆 CIP 数据核字（2011）第 244842 号

责任编辑：林　剑／责任校对：陈玉凤
责任印制：钱玉芬／封面设计：王　浩

科学出版社 出版
北京东黄城根北街 16 号
邮政编码：100717
http://www.sciencep.com

北京京华虎彩印刷有限公司 印刷
科学出版社发行　各地新华书店经销

*

2012 年 1 月第　一　版　开本：B5（720×1000）
2012 年 1 月第一次印刷　印张：11
2017 年 3 月印　　刷　字数：175 000

定价：72.00 元
（如有印装质量问题，我社负责调换）

总　序

农业是国民经济中最重要的产业部门，其经济管理问题错综复杂。农业经济管理学科肩负着研究农业经济管理发展规律并寻求解决方略的责任和使命，在众多的学科中具有相对独立而特殊的作用和地位。

华中农业大学农业经济管理学科是国家重点学科，挂靠在华中农业大学经济管理学院和土地管理学院。长期以来，学科点坚持以学科建设为龙头，以人才培养为根本，以科学研究和服务于农业经济发展为己任，紧紧围绕农民、农业和农村发展中出现的重点、热点和难点问题开展理论与实践研究，21世纪以来，先后承担完成国家自然科学基金项目23项，国家哲学社会科学基金项目23项，产出了一大批优秀的研究成果，获得省部级以上优秀科研成果奖励35项，丰富了我国农业经济理论，并为农业和农村经济发展作出了贡献。

近年来，学科点加大了资源整合力度，进一步凝练了学科方向，集中围绕"农业经济理论与政策"、"农产品贸易与营销"、"土地资源与经济"和"农业产业与农村发展"等研究领域开展了系统和深入的研究，尤其是将农业经济理论与农民、农业和农村实际紧密联系，开展跨学科交叉研究。依托挂靠在经济管理学院和土地管理学院的国家现代农业柑橘产业技术体系产业经济功能研究室、国家现代农业油菜产业技术体系产业经济功能研究室、国家现代农业大宗蔬菜产业技术体系产业经济功能研究室和国家现代农业食用菌产业技术体系产业经济功能研究室等四个国家现代农业产业技术体系产业经济功能研究室，形成了较为稳定的产业经济研究团队和研究特色。

为了更好地总结和展示我们在农业经济管理领域的研究成果，出版了这套农业经济管理国家重点学科《农业与农村经济发展系列研究》丛书。丛书当中既包含宏观经济政策分析的研究，也包含产业、企业、市场和区域等微观层面的研究。其中，一部分是国家自然科学基金和国家哲学社会科学基金项目的结题成果，一部分是区域经济或产业经济发展的研究报告，还有一部分是青年学者的理论探索，每一本著作都倾注了作者的心血。

本丛书的出版，一是希望能为本学科的发展奉献一份绵薄之力；二是希望求教于农业经济管理学科同行，以使本学科的研究更加规范；三是对作者辛勤工作的肯定，同时也是对关心和支持本学科发展的各级领导和同行的感谢。

李崇光

2010 年 4 月

序

由于重力势差，水从高处流向低处；而由于劳动报酬的势差，劳动力从低报酬区域（或行业）流向高报酬区域（或行业）。中国 30 年来的城市化进程，正是农村劳动力逐渐向劳动报酬较高的城镇或非农产业转移的过程。类似于刘易斯的廉价"无限劳动力供给"，一方面大大降低了二、三产业的生产成本，这对中国城镇发展产生了重要影响；另一方面，由于农民可以选择劳动报酬较高的非农业就业，这在一定程度上提高了农民从事农业生产的机会成本（即提高了农户从事农业生产的心理保留工资）。农业生产机会成本的提高，对农户的农地投入行为产生了深刻影响。

经济学分析可以容易地推出这一深刻影响的大致结果：在农户土地面积一定的情况下，农户选择劳动投入量与资本投入量的优化组合，当劳动价格上升时（农户从事农业生产的心理保留工资提高），理性的农户会选择投入更多的资本，以替代价格上涨的劳动。我们观察到的现象正是这样：农户农地投入，存在明显的资本密集型要素取代劳动密集型要素的趋势。化肥逐渐取代了农家肥；除草剂逐渐取代了人工锄草；农机逐渐取代了耕牛和人力。

农户使用农机是农业生产中资本要素取代劳动要素行为的典型，本书的研究目的即是通过分析农户使用农机这一具体行为，揭示在中国当前城市化进程中，农户农地投入行为的一般逻辑。

分析农户使用农机行为，不能单纯从使用农机的成本与效益来分析，也不能单纯地把农户当做新古典企业一样的生产函数，因为农户更是一个消费家庭，因此生产只是手段，消费才是目的。农户是否使用农机，一个简单的逻辑是：如果使用农机比不使用农机好，则使用农机；反之，则不使用农机。何以称之为"好"？收入增加可称之为"好"，闲暇时间增加也可称之为"好"，而诸多的"好"，在经济学中，可以用"效用"改进来综合描述，即如果使用农机可以改进农户的效用，则使用农机；反之，则不使用农机。农户怎样使用农机，租用还是自购使用？同样遵循上述简单的逻辑：何种方式使用农机更好，就选择以何种方式使用农机。农户的其他生产行为抉择亦遵循这一逻辑。

基于以上逻辑，《农户使用农业机械行为研究》一书首先构建一个适于分析中国农户经济行为的理论模型，这一理论模型源于 20 世纪 60 年代兴起的农户行为理论，其将农户视为生产单位与消费单位的统一体，农户经济行为的最终目的是追求消费效用最大化。消费效用最大化一方面受农户可支配收入（主要是生产收入）的限制，另一方面受农户总可用时间的限制。该书构建的农户行为模型，对中国农户的效用函数以及劳动报酬曲线进行分析设定，并分析农户的生产决策如何通过影响农户的劳动报酬曲线进而影响农户的效用水平。具体到农户使用农机行为，该书提出农户使用农机"容忍值"的概念，围绕这一概念，该书对一般农户与不同类型农户是否使用农机行为的影响因素及其影响机理进行详细分析。同样基于所构建的农户行为模型，该书对农户怎样使用农机的行为进行简要分析。

总体来看，该书的研究有以下几个特点：第一，根据中国农户面临的生产环境及其自身劳动供给特征，构建一个适于分析中国农户生产抉择的农户行为模型。该模型将农户不同的生产行为视为农户对不同生产方式的抉择，而这一抉择会通过影响农户劳动报酬曲线，进而影响农户的效用水平。第二，基于所提出的农户行为模型，该书提出农户使用农机"容忍值"这一概念，并以之为切入点，对一般农户与不同类型农户使用农机行为的临界点及影响因素进行严密细致的推导。第三，该书将"是否充分就业"作为划分农户类型的界线，而判断农户是否充分就业，作者同时考虑劳动时间与劳动报酬双重标准，在这一双重标准下，长时间但低效的劳动并不能算作充分就业，而这种现象在中国农村是较常见的。第四，深入农村，进行广泛的农户问卷调查，获取翔实的第一手资料。作者全程参与了这次农户调查，该书写作的许多思路也来自于作者农户调查的切身体会与思考，这种实事求是、调查研究的学风值得提倡。

在建设社会主义新农村、推进农业现代化发展的进程中，还有很多有关农业、农村和农民问题值得深入研究。希望作者百尺竿头更进一步，也希望有更多的专家学者加入到"三农"问题的研究中来。

韩桐魁

2011 年 8 月于华中农业大学

目　录

0

导　　论

0.1　选题背景与意义

0.1.1　选题背景

（1）农业现代化的历史潮流

农业现代化是指从传统农业向现代农业转化的过程，其特征是农业日益用现代工业、现代科学技术和现代经济管理方法武装起来，农业生产力逐渐达到社会平均生产力水平。[①]

农业现代化是一种间接的现代化。在人类社会的现代化过程中，首先是工业部门的劳动生产率随着工业部门分工水平的提高而提高。农业部门的社会分工进程总体上落后于工业部门，农业部门的劳动生产率总体上也低于工业部门。农业部门的社会分工过程往往是一种间接的过程，其主要是通过嫁接其他部门的专业化成果来提高自身的专业化水平，表现为农业生产要素大量从非农业部门获得，主要是从工业部门获得，而不是直接来自农业部门本身。如农药化肥、农业机械（简称农机）等要素均属于非农部门的专业化成果。因此，农业现代化过程是一种间接的现代化过程。

农业现代化是一种被动的现代化。农业部门社会分工的动力或者说压力，根本上来自于农业部门与非农部门劳动生产率的差异，来自劳动生产率的差异导致的劳动报酬率的差异。在不存在国际贸易的情况下，农业部门与非农部门劳动生产率的差异，并不一定导致劳动报酬率的差异。农业部门可以通过对农产品的价格垄断，使得农产品价格高于非农产品价格，进而使农业部门的劳动

---

① http：//baike. baidu. com/view/156520. htm? fr = ala0_ 1.

报酬率保持在社会平均水平。而一旦出现国际贸易，农产品可以在国际之间流动，一国之内的农产品价格垄断就会被打破。农业较发达国家的农产品价格会拉低农业较落后国家的农产品价格，进而使这些国家的农业劳动报酬低于社会平均水平。于是，农业较落后国家的农业部门也"被迫"现代化。

农业现代化的历史潮流不可阻挡。人类社会的现代化必定要波及每一个角落，作为人类社会生存基础的农业也不能避免。无论是主动去迎接还是被动地接受，农业现代化的历史潮流不可阻挡。

（2）各国农业机械化进程

农业机械化是农业现代化的重要内容和主要标志之一，可以说，没有机械化就没有现代化（张蒽，2006）。一些美国科学家在评价20世纪什么工程技术对人类社会进步起巨大推动作用时，把"农业机械化"列为二十项最伟大的工程技术成就之一。

农业机械化过程一般可分为三个阶段（张蒽，2006）：初步的农业机械化阶段、基本的农业机械化阶段、全面的农业机械化阶段。欧美主要发达国家均在20世纪40~50年代基本实现了农业机械化，50年代以后进入全面农业机械化阶段。人多地少的亚洲发达国家日本与韩国也分别在20世纪60年代、80年代基本实现了农业机械化，并分别于70年代、80年代后进入全面农业机械化阶段（张蒽，2006）。从20世纪50年代以来，发展中国家和地区除撒哈拉以南的非洲地区外，农业机械也得到了前所未有的应用（Pingali，2007）。

美国农业机械化进程：美国南北战争以前为引进新农具和尝试农机改良阶段；南北战争（1861~1865年）至1914年为农业半机械化阶段；1914~1945年为农业机械化基本实现阶段；1945年以后为农业机械化全面高度发展阶段。

加拿大农业机械化进程：19世纪40年代到20世纪初为农业半机械化阶段；20世纪20~50年代为农业机械化基本实现阶段；20世纪50年代后为全面实现农业机械化阶段。

英国农业机械化进程：18世纪60年代到20世纪30年代为农业机械化初步发展阶段；20世纪30年代到1945年为农业机械加快发展的农机化基本实现阶段；1945年以后为农业机械化高速发展，全面实现农业机械化阶段。

法国农业机械化进程：19世纪60年代至第二次世界大战前，属于以畜力牵引为主的农业机械化起步阶段；1945~1955年为基本实现农业机械化阶段；1955年到20世纪70年代，属于全面实现农业机械化阶段。

德国农业机械化进程：1945年至20世纪60年代，为农业机械化基本实现阶段；20世纪70年代以后为农业机械化全面实现和高度发展阶段。

日本农业机械化进程：20世纪50~60年代为农业机械化从起步到基本实

现阶段；20 世纪 70 年代为农业机械化全面实现和高速发展阶段。

韩国农业机械化进程：1952～1971 年，属于农业机械化的初步发展阶段；1972～1986 年为农业机械化基本实现阶段；1987 年至今属于农业机械化全面实现和向现代化迈进阶段。

（3）农户成为推进我国农业机械化的主体

在我国农业现代化进程中，农业机械化具有相当重要的地位和作用。我国农业机械化当前正处于从初级阶段向中级阶段前进的跨越期（白人朴，2007），农户是现阶段使用农机的重要主体。在我国农机装备购置费构成中，农民个人投入比例已达到 90% 以上，农户已经成为农机需求与农机购置投资的第一主体（表 0-1）。从农户的微观视角研究农业机械化问题将是我国农业机械化研究课题中重要的、不可缺少的一部分。

表 0-1　全国农机装备购置费构成　　　　（单位:%）

年　份	2000 年	2002 年	2004 年	2006 年
政府财政投入	2.90	1.71	2.56	5.48
单位和集体投入	3.50	1.69	1.65	1.19
农民个人投入	93.00	96.10	95.30	92.47
其他	0.60	0.50	0.49	0.86

资料来源：全国农业机械化统计年报

0.1.2　研究意义

我国农业现代化离不开农业机械化，而我国农业机械化最重要的主体是农户，研究农户使用农机行为，对推进我国农业机械化具有重大意义。

1）丰富农业机械化研究内容。我国现有关于农业机械化的研究文献，从宏观层面研究较多，从农户微观层面研究较少；从农机的供给方面研究较多，从农户需求方面研究较少。本书基于农户行为理论，研究农户使用农机行为的微观决策过程，对丰富农业机械化的研究内容具有重要意义。

2）为分析农户使用农机行为提供一个理论分析框架。本书在综述农户行为理论的基础上，结合我国农户面临的经济环境状况，构建农户使用农机行为的理论分析框架。这对改变目前农户使用农机行为研究中实证分析较多而理论分析较少的状况具有重要意义。

3）为合理制定农业机械化相关政策提供理论依据和实证支持。本书提出适于分析我国农户使用农机行为的理论模型，推导农户使用农机行为的影响因素及不同类型农户使用农机行为的差异，并采用 4 省 18 县（市、区）的 1340

份农户调查数据对理论分析结论进行实证。这为合理制定农业机械化相关政策提供理论依据和实证支持。

0.2 相关概念界定

（1）农户

Nakajima（1986）从经济学的角度定义了农户的概念，他认为，农户是由农场企业（farm firm）组成的经济实体，是以效用最大化作为行为原则的劳动者家庭及消费者家庭。本书讨论的农户的概念与 Nakajima 提出的农户概念基本一致。

本书对农户的定义是：农户是以血缘和婚姻关系为基础而组成的农村家庭，是追求效用最大化的生产与消费单元。农户概念的内涵可从四个方面进行把握：

第一，农户是以血缘和婚姻关系为基础而组成的农村家庭；

第二，农户家庭成员之间有统一的行为目标，成员之间是相互合作的关系；

第三，农户在经济社会中，既是生产单元又是消费单元；

第四，农户行为的目标是追求家庭效用的最大化。

（2）农户行为

本书所讨论的农户行为特指农户的经济行为，主要包括农户的消费行为与生产行为。基于我国农户面临的生产环境，农户的生产行为又可分为农业生产行为与非农生产行为，而本书所讨论的农户非农生产行为主要指农户在给定的非农劳动工资率下进行的非农劳动。

（3）农户的劳动报酬率

劳动报酬是指劳动者从事生产活动而获得的收入。农户的劳动报酬则指农户从事生产活动而获得的收入。农户的劳动报酬率是指劳动报酬与劳动时间的比率。

在农业生产中，农户的农业劳动报酬指农户农业总产出扣除各项生产成本（土地、资本及雇佣劳动投入成本等）后的余额。农户的农业劳动报酬是农户可支配的农业收入，如果引入农业利润的概念，则农户的农业劳动报酬＝农户的农业利润＋农户自有劳动投入成本。农户的农业劳动报酬率是指农业劳动报酬与农业劳动时间的比率。

在非农生产中，农户的非农劳动报酬指农户的非农劳动工资扣除农户从事非农就业的各项成本（信息成本、交通成本、学习成本等）后的余额。农户的非农劳动报酬率是指非农劳动报酬与非农劳动时间的比率。

本书中还提到农户心理劳动报酬率。农户心理劳动报酬率是指农户从事生产而意愿接受的最低劳动报酬率，它与保留工资的概念类似。

0.3　研究目标与内容

0.3.1　研究目标

1）在现有农户行为理论的基础上，结合我国农户面临的经济环境，构建适于分析我国农户行为的理论模型。

2）基于构建的农户行为模型，对农户使用农机行为进行理论分析，弄清农户是否使用农机及以何种方式使用农机的行为逻辑。

3）采用农户调查数据，对农户使用农机行为的理论分析结论进行实证。

0.3.2　研究内容

（1）对农户行为理论文献进行评述

将农户行为理论分成形式主义、实体主义、现实主义三个流派进行介绍，在把握农户行为模型基本特征的基础上，阐述在不同市场环境下农户行为的主要逻辑。

（2）构建适于分析我国农户行为的理论模型

农户作为经济社会最重要的微观经济主体之一，其以两种面貌出现在经济社会中：农户一方面是农产品市场的供给者或非农劳动市场的供给者，另一方面又是整个经济体系的消费者。农户行为理论是分析农户在特定经济环境下，其生产与消费行为的有效工具。本书一个重要研究目标就是基于农户行为理论，分析我国农户使用农机的行为。为此，本书在具体研究农户使用农机行为之前，结合我国农户面临的经济环境特征，构建了一个适于分析我国农户行为的理论模型。

第一，对农户消费行为进行理论分析。本书将购买消费品所需要的收入以及享受消费品所需要的闲暇时间作为农户消费效用函数的两个自变量。根据农户对闲暇时间的需求特征，本书推导出农户的效用函数为替代弹性大于1的CES效用函数，并阐述农户效用函数中各参数的经济含义及估计方法。

第二，对农户生产行为进行理论分析。本书采用农户劳动报酬曲线，作为分析农户生产行为的有效工具；并根据我国农户生产行为特征对农户劳动报酬曲线的具体形式进行设定；然后研究如何用农户劳动报酬曲线来反映农户生产行为的变动。

第三，根据农户消费行为与生产行为的关系，构建农户行为模型。农户生产行为与消费行为密不可分，农户的消费行为是在生产收入约束下进行的，而生产行为是在消费效用最大化目标下进行的，同时消费行为所需的闲暇与生产行为所需的劳动又受农户总的可用时间的限制。简而言之，消费是目标，生产是实现消费目标的手段，同时生产与消费又要共享农户最根本的禀赋——时间。因此，在农户行为模型中，农户行为的最终目标是追求消费效用最大化，约束条件是农户生产环境及农户总的可用时间。由于农户生产环境的限制，本书认为农户生产与消费行为的均衡点往往是角点解而不是内点解。

（3）对农户使用农机行为进行理论分析

农户使用农机行为是农户生产行为的一个具体例子，因此农户使用农机行为可纳入本书所构建的农户行为模型进行分析。一方面，农户使用农机行为的变动可以通过农户劳动报酬曲线得到反映；另一方面，农户使用农机行为的最终目标依然是获得消费效用最大化。农户使用农机的效果最终可归为两个：节省农户农业劳动时间和影响农户农业收入，而时间与收入又是农户消费的两个基本要素。农户是否使用农机、以何种方式使用农机取决于农户对农业劳动时间变化与农业收入变化的综合权衡。

第一，本书提出农户使用农机后对农业收入减少量的"容忍值"（tolerance value，TV）这一概念，基于这一个概念，对农户是否使用农机行为的临界点及其影响因素进行理论分析。

第二，本书提出农机的"租/购临界规模"这一概念，基于这一个概念，本书对农户选择农机使用方式的行为逻辑进行理论分析。

第三，本书根据农户是否充分就业及是否从事非农劳动，将农户划分为四类：未充分就业纯农户、充分就业纯农户、未充分就业兼业农户、充分就业兼业农户；并根据不同类型农户所处经济环境及自身禀赋的不同，对不同类型农户使用农机行为的差异进行理论分析。

（4）对农户使用农机行为进行实证分析

本书从属于国家自然科学基金项目"城市化进程中农户的农地投入变化及其管控政策研究"。2008年12月至2009年5月笔者全程参与了课题组组织的一次涉及5省20多个县（市、区）的农户调查。本书选取了其中4省18个县（市、区）的1340份农户样本数据，对农户使用农机行为进行实证分析。

第一，本书通过对农户各属性数据总体均值的估计，以及不同地区农户各属性数据总体均值的方差分析，阐述研究区域农户的基本情况。

第二，采用 Logistic 回归模型等统计方法对农户使用农机行为的影响因素进行实证分析，并通过引入地形虚拟变量，讨论地形对农户使用农机行为的影响，实证分析结果与理论分析结论一致。

第三，通过引入农户类型虚拟变量，对不同类型农户使用农机行为的差异进行实证分析，实证分析结果与理论分析结论一致。

（5）总结研究结论及政策含义

在总结研究结论的基础上，对研究结论的政策含义进行讨论。为促进我国农业机械化，本书提出四方面的政策建议：一是改善农户非农就业环境；二是适当促进农业规模化经营；三是降低农户使用农机成本；四是稳定农产品市场。

0.4　研究方法

（1）文献研究法

文献研究是任何一项研究的基础性工作，也是本书的一个基本研究方法。通过对国内外各大数据库中与农户行为及农业机械化相关文献的查阅与整理，笔者基本上对国内外相关问题的研究现状有了比较全面的了解。文献研究对这一研究的选题、理论支撑、思路形成均起到了重要作用。

（2）实地调查法

研究对象是农户，农户调查是研究中最为重要的一部分。一方面，农户调查使得笔者获得了对不同地区农户更全面的感性认识，了解到更真实的农民；另一方面，通过问卷调查，为实证研究提供了可靠的一手资料。本实证研究共涉及 4 省 18 个县（市、区）的 1340 份农户样本资料。

（3）多元统计方法

采用农户调查数据，对理论分析结论进行实证，是本书的重要内容之一。本书采用统计分析软件 SAS 9.2（statistical analysis system），运用 Logistic 回归模型等多元统计方法对农户使用农机行为进行实证分析。

0.5　组织结构

全书分为 6 章，按研究内容可划为 5 个部分。

第一部分包括导论和第 1 章，主要介绍研究背景。其中，导论介绍选题背景与研究意义；第 1 章对农户行为理论及农户使用农机相关文献进行评述。

第二部分为第 2 章，主要构建一个适于分析我国农户行为的理论模型。其中，2.1 节对农户消费行为进行研究，2.2 节对农户生产行为进行研究，2.3 节在前两节的基础上提出农户生产与消费行为模型。

第三部分包括第 3 章与第 4 章，主要是基于第二部分所构建的农户行为模型，对农户使用农机行为进行理论分析。其中，3.1 节分析农户使用农机对农户生产的影响，3.2、3.3 节分析农户是否使用农机的行为逻辑及其影响因素，3.4 节分析农户选择农机使用方式的行为逻辑；第 4 章对不同类型农户使用农机行为进行分析。

第四部分为第 5 章，主要对农户使用农机行为进行实证分析。其中，5.1 节介绍实证数据的基本情况，5.2、5.5 节针对农户使用农机行为的理论分析结论进行实证。

第五部分为第 6 章，主要总结研究结论，并提出相关政策建议。

本书的组织结构如图 0-1 所示。

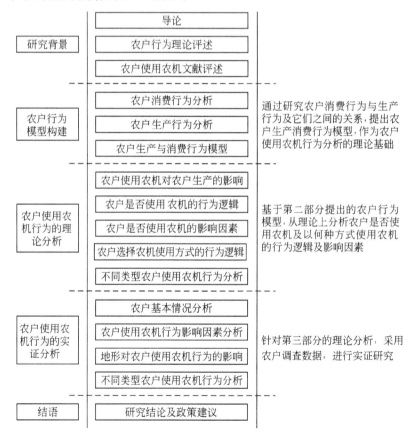

图 0-1　本书组织结构图

0.6 创新之处

第一，构建一个适于分析我国农户行为的理论模型。国内农户行为研究文献多是直接借鉴国外文献所提出的农户行为理论模型，对我国农户面临的实际经济环境考虑不够。本书在现有农户行为理论的基础上，针对我国农户所面临的经济环境，首先通过研究农户的效用函数与农户劳动报酬曲线，分析我国农户的消费行为与生产行为。然后通过分析农户消费行为与生产行为的关系，构建一个适于分析我国农户经济行为的理论模型。本书认为，农户行为的最终目标是追求消费效用最大化，约束条件是农户生产环境及农户总的可用时间。农户行为模型可表述为

$$\text{Obj:} \max U^i = U(Y^i, T_c^i) = (a(Y^i)^\rho + (1-a)(T_c^i)^\rho)^{1/\rho}, (0 < a, \rho < 1)$$
$$\text{s.t.:} Y^i = T_f^i \cdot r_f^i + T_w^i \cdot r_w^i + Y_v, (i \in I = \{1, \cdots, n\})$$
$$T_c^i = T - T_f^i - T_w^i$$

式中，I 为农户可以选择的 n 种生产方式（农业生产方式与非农职业的组合）的集合；T_f^i、T_w^i、r_f^i、r_w^i、Y^i、T_c^i、U^i 分别为农户在可以选择的生产方式 i 下，农户的农业劳动时间、非农劳动时间、农业劳动报酬、非农劳动报酬、总收入、闲暇时间及农户的消费效用水平。

第二，提出一个分析我国农户使用农机行为的理论框架。在目前有关农户使用农机行为的研究文献中，实证分析居多，而理论分析较少。本书基于所构建的农户行为模型，提出一个分析我国农户使用农机行为的理论框架，从理论上分析农户是否使用农机及以何种方式使用农机的行为逻辑。本书认为：农户是否使用农机取决于使用农机后实际农业收入变化量 ΔY_f 与农户使用农机容忍值 TV 的比较；如果 $-\Delta Y_f > TV$，则农户选择不使用农机，如果 $-\Delta Y_f < TV$，则农户选择使用农机；农户如何选择农机使用方式，则取决于农机租/购临界规模、农机租赁市场状况、农户耕地面积、农户资金和技术状况的综合作用。

第三，分析不同类型农户使用农机行为。本书不仅分析农户总体使用农机行为的影响因素，而且对不同类型农户使用农机行为进行理论与实证分析。理论分析认为，充分就业纯农户使用农机的意愿最高，充分就业兼业农户使用农机的意愿较高，非充分就业纯农户与非充分就业兼业农户使用农机的意愿较低。实证分析结果与理论分析结论一致，通过实证分析还可以得到，不同类型农户使用农机行为对影响因素变化的敏感程度不同，且敏感性排序为充分就业纯农户 < 充分就业兼业农户 < 未充分就业纯农户 ≈ 未充分就业兼业农户。

1

国内外相关研究

1.1　农户行为理论评述

　　对农民经济行为的研究，最早的动机来自对"小农经济"在资本主义发展过程中的前途问题的讨论。主要论点来自亚当·斯密（1723～1790年）和卡尔·马克思（1818～1883年）。斯密认为，自由的市场竞争及个人财富的追求，会导致劳动分工、资本积累、社会变革，乃至随着这些而来的资本主义发展。马克思把小农农业等同于"小"生产，把资本主义等同于以雇佣劳动为基础的大规模生产。商品经济的发展会伴随着以拥有生产资料的资产者与无产的劳动者为对立双方的、具有资本主义性质的"生产关系"，即：劳动分工和专业化会导致资本"改进"和规模经济（黄宗智，1992）。斯密与马克思均认为：小农经济是停滞的和前商品化的经济，小农农场会随着商品化而让位于以雇佣劳动为基础的大规模资本主义农场，小农经济将被资本主义规模经济取代（黄宗智，1992）。前苏联及改革开放前的中国在农村经济的"社会主义"集体化改造均受这一思想的影响。

　　然而，斯密和马克思作出的预言，并未在中国及第三世界的多数地方发生（黄宗智，1992）。"小农经济"及以家庭劳动为主的家庭农场，在资本主义社会发展了两三百年，经历了自由竞争资本主义及垄断资本主义后，仍生机勃勃地存在于世界的许多地方。这一现象有力地反驳了"小农经济"随着商品化而消失的论点，或者至少反映了"小农经济"的复杂性及顽强生命力。"小农经济"并不完全符合斯密等人提出的古典经济学框架以及马歇尔等人发展的新古典经济学框架。对"小农经济"内部规律进行分析的重要性，被越来越多的学者认识到。

　　商品经济下的小农具有双重面貌：第一，小农是在一定程度上为自家消费而生产的单位，他在生产上所作的抉择，或者直接取决于家庭的需要，或者间接取决于家庭的需要；第二，在生产过程中，小农也在一定程度上类似追求利润的单位，因为在某种程度上他又为市场而生产，必须根据价格、供求和成本、收益来作出生产抉择。在这方面，小农家庭的"农场"也具备一些类似资本主义企业的特点（黄宗智，1986）。

最早对小农的第一种面貌进行系统研究的是以 A. 恰亚诺夫为代表的组织－生产学派[①]。恰亚诺夫的理论及其继承者波拉尼、沙宁和斯科特等的著作及观点构成了小农经济理论的实体主义学派。对小农的第二种面貌进行系统讨论的代表作是西奥多·W. 舒尔茨（2006）的《传统农业的改造》。舒尔茨及其追随者波普金等关于小农经济理性的论述构成了小农经济理论的形式主义学派（黄宗智，1986）。随着小农经济理论的发展，越来越多的文献倾向于综合考虑小农的两种面貌，本书称这类文献及其观点的集合为小农经济理论的现实主义学派[②]。现实主义学派的文献从研究方法上可分为两个分支：一个分支是以黄宗智为代表的从经济史的视角研究小农的经济行为；另一个分支是基于新家庭经济学，通过劳动时间与闲暇时间的两难抉择，而将小农的生产行为与消费行为统一分析的各类农户行为模型。下面将对小农经济理论的各类学派的主要内容及观点进行介绍。

1.1.1 农户行为的"形式主义"：理性小农

尽管古典经济学认为小农经济是前商品化的，但古典经济学及新古典经济

---

① "组织—生产"学派是 20 世纪初到 20 世纪 20 年代在俄国出现的一种关于在农村依靠农民村社来进行社会主义改造的理论主张，是民粹主义理论在十月革命后的继续和发展。其创始人和代表人物有佛图那托夫、马卡罗夫和恰亚诺夫，主要理论家是恰亚诺夫。他的主要代表作有《什么是土地问题？》（1917 年）、《社会农学的基本思想与工作方法》（1918 年）、《我的兄弟阿列克赛到农民乌托邦国旅行记》（1920 年）、《农业企业的最佳规模》（1922 年）、《非资本主义经济制度理论》（1923 年）和《农民经济的组织》（1925 年）等。"组织—生产"学派认为，农民经济是一种"非资本主义"的"劳动类型"的经济，它有极强的适应能力和稳固性，资本主义大农场很难以劳动生产率的优势排挤掉农民经济。相反，由于农民经济没有劳动力市场、利润、资本、效率等概念，具有劳动无限密集化因而不存在过剩劳动力的特点，这就产生了与工业生产中大生产排挤小生产相反的规律，即农业生产中农民经济排挤资本主义大农业。农民经济的自足自给性不会产生两极分化和阶级斗争。农民人口和农民家庭的变动取决于播种面积的多少，农民经济状况主要随农民家庭中生产者与供养者的比例而周期性改善和恶化，在这种循环过程中，一部分贫农自然会变富，而一部分富农自然会变贫，因此在农村中进行阶级斗争是没有必要的。"组织—生产"学派认为，村社虽然是防止资本主义分化的屏障，但宗法式的村社和愚昧的农民是无法管理和适应现代化农业的。因此，它主张由国家控制土地，反对土地买卖，认为村社改造的根本途径是实现农村的合作化；主张在村社传统基础上发展小农之间的合作，使农业生产集中化，进而形成新的先进的"社会主义"，并通过村社办工厂实现农村的"工业化"。在大村社基础上形成发达的合作社网络，把所有的村社都组织在统一的生产和分配的系统中，建立一个中央的经济组织并由掌握科学的"农学家组织者"来进行管理。"组织者"们应当对农民进行长期的、长达几十年的说服、教育，把"愚昧的农民"改造为科学组织所需要的那种"先进的农民"（引自马克思研究网. 社会主义百科览览，http://myy.cass.cn/file/200512194888.html）。

② 目前学术界对将农户经济行为理论分为以西奥金·舒尔茨为代表的"形式主义"学派和以 A. 恰亚诺夫为代表的"实体主义"学派划分基本无异议。宋圭武（2002）提出将以黄宗智为代表对农户行为的研究划分成为历史学派。

学的追随者一直想把资本主义经济中自由竞争、自由分化规律支配下的"经济人"形象外推至历史上的一切经济行为主体，包括宗法农民（秦晖和苏文，1996）。

诺贝尔经济学奖获得者西奥多·舒尔茨为这一意图提供了系统的理论支持。他的主要论点是：一个竞争的市场运行于小农经济中，与资本主义经济并无不同。要素市场运行得如此之成功，以致"在生产要素的分配上，极少有明显的低效率"。在劳动力市场，"所有想要和能够胜任工作的劳动力都得到了就业"。进而，"作为一种规律，在传统农业使用的各种生产要素中，投资的收益率少有明显的不平衡"（西奥多·W. 舒尔茨，2006）。简言之，小农经济中的家庭农场同资本主义企业一样"理性"，他们追求利润最大化，并根据要素的边际成本与边际产出确定要素的投入量。因此，传统农业的停滞不是来自小农的"非理性"，而是来自传统要素边际收入的递减。小农生产者只是在投资收益下降的情况下才停止投资。

改造传统经济所需的是合理成本下的现代投入。一旦现代技术要素能在保证利润的价格水平上得到，小农生产者会毫不犹豫地接受，因为他们与资本主义企业家一样，是最大利润的追求者。于是，改造传统农业的方式不是像社会主义国家那样去消弱小农家庭的生产组织形式和自由市场体系，而是在现存组织和市场中确保合理成本下现代生产要素的供应（西奥多·W. 舒尔茨，2006）。舒尔茨的理论寄现代农业的希望于小农农场而非资本主义农场上，这一点不同于斯密的理论，其考虑到小农农业生产的持续，但是它与经典模式同样把市场刺激当作乡村质变性发展的主要动力。

1.1.2　农户行为的"实体主义"：生存理性与道义经济

最早对形式主义传统进行批判的是具有民粹主义倾向的俄国学者恰亚诺夫。恰亚诺夫提出建立"社会农学"以区别于从科学技术角度研究农业的传统农学。恰亚诺夫于20世纪20年代对革命前俄国的小农所作的研究，令人信服地说明了小农经济不能用研究资本主义的学说来理解。资本主义的利润计算法，不适用于小农的家庭式农场。

A. 恰亚诺夫在《农民经济组织》一书中指出：农民家庭是一个不同于资本主义企业的独立体系，有自己独特的运行逻辑和规则。"全年的劳作乃是在整个家庭为满足其全年家计平衡的需要下的驱使下进行的"（A. 恰亚诺夫，1996）。同时，A. 恰亚诺夫认为，家庭结构决定了家庭经济规模的大小，"其上限由家庭劳动力的最大可利用数量决定，下限则由维持家庭生存的最低物质水准决定"。家庭经济规模通过家庭劳动与消费的均衡来决定，而不是生产边际投入与边际产出的均衡决定。概言之，A. 恰亚诺夫认为小农的行为动机和资本家的行为动机有根本的不同，并不像形式主义所认为的那样——是为追求最大利润，而是满足家庭消费需要和生存所需。

A. 恰亚诺夫的论点在斯大林主义的统治下被压制，由于至今第三世界的许多地方仍存在小农经济，其理论在 20 世纪 60 年得到重新认同和发展。A. 恰亚诺夫理论的继承者首先主要是研究前工业化时期偏僻地区的人类学工作者。他们在人类学领域以"实体主义者"著称，他们指出小农经济根本就不按照现代市场经济规律运行。在美国，反映这一理论的代表作主要有波拉尼及稍近的沙宁和斯科特的著作。他们的主题在于论证小农经济与资本主义市场经济的不同（黄宗智，1986）。

1.1.3 农户行为的"现实主义"：生产与消费的统一

1.1.3.1 小农经济的"内卷化"特征

黄宗智在分析了新中国成立前中国几个世纪的农业发展后，提出了中国农业是"没有发展的增长"和"过密型的商品化"概念。黄宗智认为，要了解中国的小农，需进行综合的分析研究，其关键是应把小农的三个方面视为密不可分的统一体，即小农既是一个追求利润者，又是维持生计的生产者，当然更是受剥削的耕作者。三种不同面貌，各自反映了这个统一体的一个侧面。一个经济地位上升的雇佣长工以及生产有相当剩余的富农或经营式农场主，要比一个经济地位下降的、在饥饿边缘挣扎的、付出高额地租领取低报酬的佃雇农，更符合形式主义分析模式中的形象（黄宗智，1986）。

另外，使用雇佣劳力的大农场和依赖家庭劳力的家庭农场对人口压力会作出不同的反应。大农场得以就农场的需要变化而多雇或解雇劳力，家庭式农场则不具备相似的弹性。从相对劳力而言，面积太小的家庭农场，无法解雇多余的劳力；面对剩余劳力的存在和劳力的不能充分使用而无能为力。在生计的压力下，这类农场在单位面积上投入的劳力，远比使用雇佣劳力的大农场多。这种劳力集约化的程度可以远远超过边际报酬递减的地步。恰亚诺夫指出，革命前俄国农业中曾存在过这种现象（A. 恰亚诺夫，1996）。克利福德·吉尔茨给爪哇水稻农作中这种集约化到边际报酬收缩的现象，冠以一个特别的名称："农业内卷化"（黄宗智，1986）。

黄宗智（1986）进一步认为，小农将其劳动边际报酬降至雇佣劳动工资和家庭生计需要之下，从具有经济理性的企业角度，是不合理的经济行为，但小农家庭农场的这种"不合理"经济行为实际上可以用一般微观经济学的理论来解释，只是需要同时用关于企业行为理论与消费者理论来分析，而不是简单地用追求最大利润的模式来分析。有剩余劳动力的小农，往往在农场中投入"过多"的劳动力，是因为这些过多的劳动力对他来说，只需很低的"机会成本"（因缺乏其他的就业可能），而这种过多劳动力得到的低于市场工资的报酬，对一个在生存边缘挣扎的小农消费者来说，具有较高的"边际效用"。不用追求最高利润的观念（来自企业行为的理论），而用"效用"观念（来自消费者行为理论），其优点是可以顾及与特殊境况有关的主观抉择，最主要的是要把家庭农场当做一个生产和消费合一的单位来理解。

1.1.3.2　基于新家庭经济学的农户行为模型

（1）新家庭经济学

新家庭经济学属于新古典经济理论的一个分支，它源于 Becker（1965）关于家庭内时间配置的著名文章 *The Theory of Time Allocation*。20 世纪 60 年代其他相关的理论又对此作了补充。Michael 和 Becker（1973）对新家庭经济学的主要内容进行了总结。

新家庭经济学的关键特征是用自己的方式对效用函数作了全新的定义。新家庭经济学的主要思路可以说明如下：①假设家庭拥有一个效用函数，效用不是从市场购买的商品 x 中直接获得，而是从家庭内生产的最终消费物品 Z 中获得，Z 物品由市场购买的商品 x_i 与家务劳动时间 T_i 组合生产得到。[①] ②家庭经济行为的目标是追求效用最大化，效用函数为 $U = f(Z_1, Z_2, \cdots, Z_n)$。③家庭效用最大化的约束条件是家庭生产函数、总劳动时间和货币收入等三个条件。家庭内部 Z 物品的生产函数为 $Z_i = f(x_i, T_i)$；家庭总劳动时间等于从事雇佣劳动的时间 T_w 加上家庭用于生产 Z 物品的家务劳动时间 $\sum T_i$，$T = T_w + \sum T_i$；货币收入 Y 等于市场工资和家庭用于雇佣劳动的时间之积 $w \cdot T_w$，并且在均衡时，家庭货币收入等于家庭购买市场商品 x 的货币支出 $\sum p_i \cdot x_i$，$Y = w \cdot T_w = \sum p_i \cdot x_i$。家庭总劳动时间约束与货币收入约束可合并为被称为家庭"完全收入"的一个约束，$F = w \cdot T = w \cdot \sum T_i + \sum p_i \cdot x_i$。④家庭经济行

[①] Becker（1965）提到 Z 物品的两个例子：一是观看一出戏剧，首先需要有在演员、剧本、剧院等上的花费，同时还需要看戏人的时间；二是睡觉，首先需要有购置床铺、房子的花费，同时还需要睡眠的时间。因此，家务劳动时间 T_i 不仅包括了传统意义上的家务劳动时间（如做饭、带小孩的时间），还包括了闲暇时间（如看电影、睡觉的时间）。注意，家务劳动时间 T_i 随着 Z 物品而进入了效用函数，这是与正统的消费选择理论的重要不同之处。

为的均衡条件是任意两种 Z 物品的边际效用之比等于它们的边际成本之比。

（2）统一分析农户生产与消费行为的农户行为模型

农户行为模型是将农户的生产、消费和劳动力供给（闲暇需求）等决策有机联系到一起的一种微观经济模型，它用于描述农户内部各种关系。农户行为模型起源于 20 世纪 20 年代俄国的恰亚诺夫的小农模型，20 世纪 60 年代以后得到了很大的发展。随着农户行为理论研究的深入，国外许多学者把农户行为模型广泛应用于分析农户在社会、经济、市场、政策等因素变化下的不同行为反应，其应用范围不断由微观层次向宏观层次拓展。

农户行为模型最初是用来解释这样一种违背常理的经验发现，即一种主要农产品的价格上升并没有带来农业部门市场剩余的显著增加（Kuroda and Yotopoulos, 1978）。寻找这个问题的解释形成了将生产决定与消费决定联系起来的模型。因为决策的主体既是一个生产者也是一个消费者：生产者配置劳动力和其他投入要素，消费者决定如何将农业利润和劳动收入配置到商品和服务的消费中去（Taylor and Adelman, 2003）。阐述农户行为模型的经典文献之一是巴鲁姆和斯奎尔的 *An Econometric Application of the Theory of the Farm-household*，而 Singh 等（1986）在他们的著作中对巴鲁姆 – 斯奎尔农户行为模型作了清晰的表述。

巴鲁姆 – 斯奎尔农户行为模型的基本假设包括：存在劳动力市场，农户可以根据给定的市场工资，雇入或雇出劳动；农户可用的耕地数量在所研究的生产周期内固定不变；将闲暇作为一个消费项目进入农户的效用函数；不考虑农户生产中的不确定性，也不考虑农户的风险行为。巴鲁姆 – 斯奎尔农户行为模型中，农户行为的目标是效用最大化，其效用函数有三个自变量，即闲暇、家庭自我消费的农产品和购买的商品；同时，农户对三种消费要素的偏好，受家庭特征的影响。效用最大化的约束条件包括：农户生产函数、农户总的可用时间以及货币收入。其具体方程式如表 1-1 所示。

表 1-1　巴鲁姆 – 斯奎尔农户行为模型的目标函数及约束条件

项　目		方程式
目标函数		$\max U = U(L, C, M; a_i), i = 1, \cdots, n$
约束条件	生产函数约束	$F = F(D, d_j; A), j = 1, \cdots, n$
	时间约束	$T = H + L + D$
	收入约束	$qM + pC = wH + R + pF - \sum w_j d_j$

表 1-1 中各字符的含义如下：

L——闲暇；

C——自我消费的农产品；

M——购买的商品；

a_i——农户家庭特征参数（比如家庭总人口、家庭劳动消费比等）；

D——农业生产中的总劳动投入量，包括自有劳动与雇佣劳动；

d_j——农业生产中的其他可变要素投入量；

A——农业生产中的土地投入量；

T——农户总的可用劳动时间；

H——净雇出劳动的数量(如果 $H > 0$)，净雇入劳动的数量（如果 $H < 0$）；

R——劳动收入以外的其他收入；

q——市场购买品价格；

p——农产品价格；

w——工资率；

w_j——其他可变投入的价格。

在约束条件下，最大化效用函数，可得到如下一阶等式，如表1-2所示。

表1-2　巴鲁姆－斯奎尔农户行为模型的最优化条件

项　目	方程式	备　注
消费效用最大化条件等式	$U_C/U_M = p/q$ $U_L/U_M = w/q$	消费品的边际替代率等于其价格之比
利润最大化条件等式	$p \cdot F_D = w$ $p \cdot F_{d_j} = w_j, j = 1, \cdots, n$	生产要素的边际产值等于要素价格
全收入等式	$qM + pC + wL = \Pi + R + wT = E$ $\Pi = p \cdot F(D) - w \cdot D - \sum w_j d_j$	将生产函数约束、时间约束、收入约束，纳入到一个全收入约束等式

巴鲁姆－斯奎尔农户行为模型为预测农户对家庭变量（如家庭规模和结构）与市场变量（如农产品价格、生产要素价格、工资、技术等）的变化而做出的反应，提供了一个思考框架。由于劳动市场的引入，巴鲁姆－斯奎尔农户行为模型的生产和消费决策是相互独立的，农户生产中劳动投入量由利润最大化条件决定，农户消费的闲暇量由家庭对闲暇的主观评价决定。而在劳动市场缺失的情况下，农户的消费行为与生产行为则不能相互独立[①]，农户生产中的劳动投入将直接影响农户的闲暇（Barnum and Squire，1979）。

表1-2中，给定农户的生产函数 $F = F(D, d_j; A)$ 及要素价格的情况下，由

[①]　实际上，即使存在劳动力市场，雇佣劳动也不可能无摩擦地替代自有劳动，一方面雇佣劳动可能与自有劳动不能完全同质，另一方面，雇佣劳动也需要自有劳动进行监管与组织。

利润最大化条件等式可计算出农户生产中各要素的投入量及农业产量 F，进而可求得农业生产利润 Π。农户生产行为对消费行为的影响，是通过生产利润 Π 进入全收入等式而达到的。如果二阶条件满足，在全收入约束 E 及家庭特征参数 a_i 下，即可推导三类消费品 M、C、L 在价格 q、p、w 下的需求函数。

（3）农户行为模型的应用与发展

Taylor 与 Adelman（2003）对农户行为模型的起源、演变与发展做了较好综述。农民行为模型早期主要运用在农业价格政策方面。Kuroda 和 Yotopoulos（1978）在日本，Lau 等（1981）在中国台湾，Ahn 等（1981）在韩国，Hazell 和 Roell（1983）在马来西亚和尼日利亚，Strauss（1984）在塞拉利昂，Adulavidhaya 等（1984）在中国台湾，均采用了农户行为模型来研究农业价格政策。这些在不同国家与地区所作的计量研究表明：与新古典模型所预料的一致，一种农产品价格的上升会导致其产出增加，即农产品的供给价格弹性为正。然而这些研究也表明了由于价格上升，农业利润带来的正向消费效应。Singh 等（1986）也认为：当农产品价格上升时，其消费效应足够大，以致会抵消市场剩余的增加，这可能对城市消费者、农业加工业及农产品出口不利。

农户行为模型还被运用到其他各式各样的主题之中，如劳动力供给、农业技术推广政策、人口迁移、收入分配、储蓄和家庭计划等。Howard 等（1979）研究了马来西亚穆达河流域，他们发现当市场劳动工资水平显著上升时，农业生产与农产品市场剩余对于农产品价格的反应是违反直觉的：价格上涨的农产品产量和生产其他农产品的劳动力投入同时减少。并且这种现象是否会发生，一方面取决于家庭如何在收入与闲暇之间取舍（替代效应），另一方面取决于劳动的边际产出价值有多大的增加（收入效应）。而农产品价格变化的替代效应与收入效应，不仅依赖于家庭的经济特征，也依赖于家庭的人口特征（比如教育和性别构成）。Huffman（1980，1991，2001）运用农户行为模型检验了美国农民的非农劳动力供给及生产与消费决策。Singh 和 Janakiram（1986）使用农户行为模型研究了政府投入与产出政策对韩国农民使用现代生产要素的影响。Barnum 和 Squire（1979）利用农户行为模型估计了移民的机会成本。他们的研究结果表明：为了吸引更多的人留在农村而实行的津贴政策，会使得农业劳动力走出农村的真实机会成本只有其边际劳动产出的一半左右。Lau 等（1981）使用农户行为模型研究了政府收入分配、提高工资和资产转移的政策对农户家庭的生产要素需求、劳动供给和消费支出的影响。Lluch 等（1977）发现储蓄率对食物的价格是敏感的，特别是对于贫穷家庭。Strauss（1984）、Barnum 和 Squire（1979）利用农户模型估计了家庭计划的净收益，方法是用农户模型将农户的消费、时间配置和生产决策同时模型化，目的是研究减少一个家庭成员的成本与收益。

Lopez（1986）探讨农户生产从消费决策中分离出来的可能性。Taylor（1987）分析农村移民汇款的收入效应对移民行为的影响，平均而言，移民汇款估计数大约是他待在农村对家庭收入期望贡献的三倍。Rozelle 等（1999）以及 Brauw 等（2002）采用中国农户数据设计并估计一个非递归农户模型，来检验关于劳动力流动的新经济学命题，即家庭外出人员的汇款缓解了农户的各种市场约束。他们发现：家庭劳动力流出对农业生产、农业收入和农产品产出有显著的负面影响，但是家庭外出人员的汇款又对这些变量有显著的正面影响。这些结果与完善市场假设条件下的情况是相违背的。可见，中国的农村家庭面临的是不完善的劳动和信贷市场。他们的研究支持了政府所忧虑的问题：农村劳动力流出对中国的粮食产量产生了负面影响。

在国内，随着家庭联产承包责任制的实行，农户作为农村经济微观主体的地位逐渐被一些学者所认识，而农户模型正好为我国农户行为研究提供了理论基础。自 20 世纪 80 年代末以来，国内的学者逐渐开始采用农户行为模型，从农户这一微观主体视角，来研究中国的"三农"问题。林毅夫（1988）、卢迈和戴小京（1987）、胡继连（1992）、马鸿运（1993）是对我国农户经济行为进行研究的先驱。宋洪远（1994）、张林秀（1996）、宋圭武（2002）、吴桂英（2002）、陈和午（2004）对农户行为理论及农户模型作了有用的综述。张林秀（1996）、宋洪远（1994）、宋圭武（1998）、张广胜（1999）、孔祥智（1998）对市场经济条件下我国农户行为特征进行了研究。农户行为理论及农户模型还被广泛应用于与农民相关的各种主题中：都阳（2001）、刘秀梅和亢霞（2004）、蔡基宏（2004）、张影强（2007）运用农户模型研究我国农户的时间配置及劳动力供给行为；蔡基宏（2005）、胡建中和刘丽（2007）研究农户农业生产投资行为；钟太洋和黄贤金（2006）研究农户的水土保持行为；朱艳（2005）、杨天和（2006）研究农产品质量安全问题；钟涨宝和汪萍（2003）研究农户的农地流转行为；任常青（1995）、王志刚等（2005）研究农业生产风险下的农户行为。

1.2　农户行为模型的实质

1.2.1　一个简化的农户行为模型

本节将参照巴鲁姆－斯奎尔农户行为模型，通过图形来阐述一个简化的农户行为模型，分析在土地面积一定时，不同市场环境下，农户生产消费行为的主要逻辑。

农户行为的目标设定为追求消费效用最大化，农户只生产和消费一种产品 X。农户效用函数为 $U = U(t, x; a)$，其中 t 为农户消费闲暇的数量；x 为农户消费产品 X 的数量；a 为影响农户闲暇与 X 消费边际效用的家庭特征参数。

（1）不存在市场的情况

在没有市场的极端情况下：一方面，在生产中农户不能雇入或雇出劳动力，农户生产的总劳动投入等于农户总的可用时间减去闲暇时间；另一方面，在消费中农户消费产品 X 的数量，等于产出量。图 1-1 描述了没有市场时的农户生产消费情况，农户劳动时间为 $T - T_1$，产出为 X_1，闲暇时间为 T_1，产品 X 的消费量为 X_1，获得的效用水平为 U。w' 为农户心理劳动报酬率。

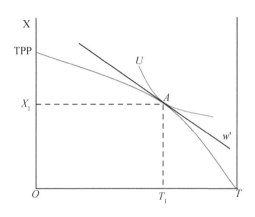

图 1-1 不存在市场时的农户行为情况

（2）市场完善的情况

在市场完善的条件下，生产要素与产品在给定的市场价格下，可以自由买卖，市场各主体之间不存在信息不对称，且无交易成本。由于市场的存在，在生产中农户可以雇入或雇出劳动力，农户生产的总劳动投入与闲暇时间不完全受农户总的可用时间的约束。一方面，农户可以雇入劳动，减少部分 X 的消费，以换取更多闲暇，另一方面，农户可以雇出劳动，减少部分闲暇，而增加消费 X 的数量。

在市场完善的情况下，设劳动的市场工资率为 w，如果农户心理劳动报酬率 w' 高于 w，则农户会雇入劳动；如果农户心理劳动报酬率 w' 低于 w，则农户会雇出劳动。

图 1-2 描述了市场完善且农户雇出劳动时的生产消费情况，农户总劳动时间为 $T - T_1$，其中自家劳动时间为 $T - T_2$，雇出劳动时间为 $T_2 - T_1$，农户自家

产品产出为 X_2，雇出劳动获得产品 X 的数量为 $X_1 - X_2$。农户闲暇时间为 T_1，产品 X 的消费量为 X_1，获得的效用水平为 U_1。如果市场不存在，则农户获得的效用水平为 $U_2(U_2 < U_1)$。

图 1-3 描述了市场完善且农户雇入劳动时的生产消费情况，农户生产总劳动投入时间为 $T - T_2$，其中自家劳动时间为 $T - T_1$，雇入劳动时间为 $T_1 - T_2$，农户生产总产出为 X_2，为获得雇入劳动而支付产品 X 的数量为 $X_2 - X_1$。农户闲暇时间为 T_1，产品 X 的消费量为 X_1，获得的效用水平为 U_1。如果市场不存在，则农户获得的效用水平为 $U_2(U_2 < U_1)$。可见，在市场完善时农户的消费效用，高于不存在市场时农户的消费效用。

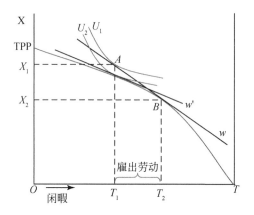

图 1-2　市场完善且农户雇出劳动的情况

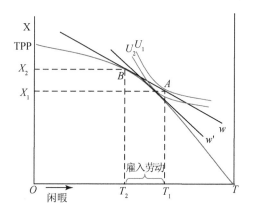

图 1-3　市场完善且农户雇入劳动的情况

（3）市场不完善的情况

市场不完善与市场完善相比，显著特征是存在交易成本。

如图 1-4 所示，设农户有三类，其效用函数分别为 $U = U(t, x; a_1)$、$U = U(t, x; a_2)$、$U = U(t, x; a_3)$，心理劳动报酬率分别为 w_1、w_2、w_3，且 $w_3 > w_2 > w_1$。设劳动的市场工资率为 w，且 $w = w_2$；雇入或雇出单位劳动的交易成本为 c_t。

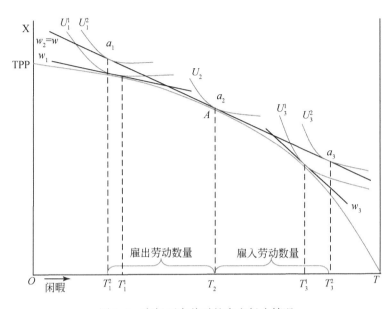

图 1-4　市场不完善时的农户行为情况

如果交易成本 $c_t = 0$，由于 $w_1 < w = w_2 < w_3$，则农户 I 会雇出劳动力，农户 II 仍自给自足，农户 III 会雇入劳动力，三类农户均在 A 点进行生产，A 点是生产利润最大化点。农户 I 的劳动时间为 $T - T_1^2$，其中雇出劳动数量为 $T_2 - T_1^2$，获得效用为 U_1^2；农户 II 的劳动时间为 $T - T_2$，获得效用为 U_2；农户 III 的劳动时间为 $T - T_3^2$，生产中雇入劳动数量为 $T_3^2 - T_2$，获得效用为 U_3^2。交易成本 $c_t = 0$ 的情况就是完善市场的情况。

如果交易成本 $c_t > \max(w_3 - w, w - w_1)$，由于交易成本太高，参与交易不能带任何好处，因此三个农户均会选择自给自足。此时农户 I 的劳动时间为 $T - T_1^1$，获得效用为 U_1^1；农户 II 的劳动时间为 $T - T_2$，获得效用为 U_2；农户 III 的劳动时间为 $T - T_3^1$，获得效用为 U_3^1。交易成本 $c_t > \max(w_3 - w, w - w_1)$ 的情况就是不存在市场的情况。

如果交易成本 $c_t \in (0, \max(w_3 - w, w - w_1))$，此时属于市场不完善的情况。如果农户 i 的心理劳动报酬率 $w_i > w + c_t$，则农户 i 会雇入劳动力；如果农户 i 的心理劳动报酬率 $w_i < w - c_t$，则农户 i 会雇出劳动力；如果农户 i 的心理

劳动报酬率 $w_i \in (w - c_t, w + c_t)$，则农户 i 会选择自给自足。在不完善市场情况下，农户的效用水平会高于不存在市场时的效用水平但低于完善市场时的效用水平。

1.2.2 农户行为模型的特征

（1）农户行为目标的设定与市场环境假设

新古典经济学中，采用了两个概念来描述"经济人"的行为目标。作为消费者的"经济人"，其消费行为追求消费效用最大化；作为生产者的"经济人"，其生产行为追求利润最大化，且消费者与生产者是分离的。

农户最重要的特征就是其本身既是一个家庭（family）又是一个企业（enterprise），是一个消费和生产的共同体（陈风波，2005）。农户这种双重经济特征使农户区别于新古典经济学中描述的一般的企业和消费者。各类农户理论的构建均遵循着如下过程：假定农户行为目标→设定农户所处市场环境→根据市场环境和行为目标假定形成农户行为的分析框架。因此农户行为目标的设定与市场环境假设，是农户行为模型最重要的特征。弗兰克·艾利思在《农民经济学》（2006 年）中对几种经典农户行为理论的目标设定、市场假设等进行了介绍总结，如表1-3所示。

表1-3 几种经典农户行为理论的比较

序号	理论	目标	市场假设	预见	实践效果	政策结论
1	利润最大化	利润最大化（受到传统生产条件的限制）	竞争市场	价格效率	积极的农产品供给反应	新资源、新技术、教育、信贷计划
2	风险规避	考虑风险后的效用最大化	自然灾害社会分析价格不确定	无效率	可变投入利用不足	建设灌溉工程、稳定价格、农作物收成保险、信贷计划
3	劳苦规避	比较收入与闲暇之后的效用最大化	竞争性产品市场、无劳动市场	无效率	不明确，视农民个体主观反应而定	合作化、教育（观念现代化）
4	部分参与市场的家庭农业	（一般的）效用最大化	竞争市场	价格效率	由一般均衡效应导致的积极供给反应	无

序 号	理 论	目 标	市场假设	预 见	实践效果	政策结论
5	分成制	利润最大化	连锁市场	佃农模型:无效率 地主模型:有效率	佃农模型:可变投入利用不足;地主模型:有效率,但市场连锁	农业改革、补贴佃农的农业收入、佃农现代计划

资料来源:弗兰克·艾利思,2006

农户行为目标决定了农户决策的准则,因此可以通过农户决策的准则判断农户行为的目标;农户市场环境决定了农户决策的约束,因此可以通过农户行为的约束判断农户面临的市场环境状况。

农户行为模型是对欠发达国家农村经济进行微观层面研究的主要模型(Taylor and Adelman,2003)。欠发达国家农村经济最重要特征就是市场的不完善甚至缺失。市场不完善实质是由于交易成本较高,以致部分市场主体不能从交易中获益,而不参与市场交易;市场缺失则是交易成本高到所有市场主体都选择不参与交易时的情况。

效用最大化是用来描述消费行为的目的,利润最大化是用来描述生产行为的目的。而利润最大化只在农户参与产品市场与要素市场的交易时,才有意义。因为利润最大化下行为的均衡点是边际投入成本 = 边际产出价值,如果农户没有参与产品市场的交易,则无法衡量边际产出价值;如果农户没有参与要素市场的交易,则无法衡量边际投入成本。在农户不参与市场交易时农户生产行为的决策准则是:劳动边际产出 = 心理劳动报酬率。在农户参与市场交易时农户生产行为的决策准则是:劳动边际产出 = 市场工资率,即利润最大化准则。

农民行为模型中,农户行为目标的设定与市场环境假设可以总结为:农户消费行为追求效用最大化,农户生产的最终目标是消费,因此消费效用最大化是农户行为的最终目标。如果农户参与市场交易,农户的生产行为可以用利润最大化来描述。农户面临的市场是存在交易成本的不完善市场,由于交易成本的存在,一些农户会选择不参与市场交易,甚至全部农户都不参与市场交易。

(2)预算约束的内生及劳动投入的两难

与新古典消费理论中消费者预算约束外生不同,农户行为模型中,农户的预算约束是内生的,且由农户生产行为决定。农户行为模型中,农户消费行为有两个约束,一个是总收入的约束,一个是总时间的约束。由于时间可以通过劳动生产转为收入,因此两个约束可以合并为一个约束,称为"完全收入"约束。

农户行为模型中,时间既是农户的生产要素(劳动时间),又是农户的消费要素(闲暇时间)。农户劳动投入可以带来收入,而劳动投入又会减少闲暇,因此农户存在劳动与闲暇的两难。农户通过参与市场交易可以一定程度缓解劳动与闲暇的两难,但不能将其消除,因为雇出劳动获得收入是以减少闲暇为代价,雇入劳动增加闲暇也要以支付工资作为代价。

1.3 农户使用农机研究评述

农户是我国农村经济的行为个体,是农机的使用主体。在国外,特别是人少地多的欧美地区,农村经济的行为个体是大中型农场,因此国外文献大多将农机的使用主体称为农场(farm)或小农场(small farm)。本节不考虑农户与农场的区别,统称之为农户。

(1)国外对农户使用农机行为的研究

国外文献对农户使用农机的研究主要集中在三个方面:一是对农户农机投资行为目标的讨论;二是分析农户农机投资行为的影响因素;三是分析农户使用农机对农户的影响,包括对劳动生产率、收入、劳动替代、其他要素投入的影响等。

关于农户农机投资行为目标的讨论。Aderoba(1987)认为农户购买农机行为决策的准则是使用农机是否可以提高净收入。Barry(1988)、Boehlje(1984)、Penson等(1982)认为净现值(net present value)或净将来值(net future value)是农业经济中分析资本投资(如农机投资)的准则依据。Copeland等(1974)认为,根据 Fisher 的分离理论①,最优化投资决策独立于决策者的效用函数,因此农户农机投资行为的目标是追求农场的净现值最大化。

关于农户农机投资行为的影响因素。Coward(1964)分析了定制工作对农户农机投资决策的影响。Johnson 等(1985)分析认为:农场所属的土壤区域、农场种植作物类型、农场规模、库存农机的价值、经营者年龄、经营者教育年限对农户购买农机决策有重要影响。Cromarty(1959)、Fox(1966)、Griliches(1960)、Heady 和 Tweeten(1963)、Penson 等(1981),Rayner 和 Cowling(1968)采用时间序列数据研究了农机成本、商品价格、折旧、税收、利率等因素对农户农机投资行为的影响。Strack(1986)采用农场记录数据分析了农户农机投资的影响因素。Gustafson 等(1988)采用实验与模拟相结合的方法

---

① 费雪分离理论:在完善的资本市场中,决策严格遵循客观的市场标准(可表述为利润最大化原则),它与导致做出个人消费决策的主观偏好无关。

获取了农户在不同政策情景下的农机投资决策数据，分析得到：农户的农机投资水平在统计上与土地使用期限、经营者能力、农户面临的经济状况、存量农机的年龄有关；而低价格、税收优惠与利率补贴等政策只影响农机购买的时间，而对农机投资的总数量没有影响。

关于农户使用农机对农户的影响。Smith 和 Giascon（1979）、Duff（1978）认为农机的使用减少了劳动就业，特别是在劳动力丰富的地区。Binswanger（1978）则认为农机的使用使土地得到更集约的利用，从而在一定程度上增加了劳动力需求，农机化可以在不影响劳动就业的情况下缓解粮食问题。Rao（1972）也认为农业机械化能大幅提高整个经济的就业潜力。Tan（1981）认为农机的使用对粮食产量有正的影响。Sison 等（1985）进一步分析了农机对劳动就业与农业产出的影响：农机的使用确实减少了劳动的投入，且使用农机的农场的平均产量较高，而产量的提高并不是主要来源于农机的使用，而是来源于化肥、生物技术等其他现代要素的投入。Ali 和 Parikh（1992）通过对机械化农场与非机械化农场的比较，分析了农机使用特别是拖拉机的使用对其他要素投入的影响。Verma（2004）对农户使用农机对农业产出与劳动生产率、作物种植密度、劳动力就业、农户非农就业、农场总收入与净收入的影响进行了总结。

（2）国内对农户使用农机行为的研究

国内有关农机化发展的研究文献较多，但研究农户使用农机行为的文献较少。陈宝峰（2005）在其博士论文中从农机化发展影响因素、农机化发展水平评价、国外农机发展经验介绍、农机化发展的阶段性及区域性、农机化发展策略等 5 个方面对国内有关农机化发展的研究文献进行了综述。

20 世纪 80 年代初，我国农村开始实施了家庭联产承包责任制，农户从此逐渐成为农机使用主体。研究我国农户使用农机的文献也始于 20 世纪 80 年代。国内文献对农户使用农机的研究主要集中在两个方面：一是分析农户使用农机的经济效果，二是分析农户使用农机行为的影响因素。

马山水和张建设（1985）对农户使用农机的经济效果进行了评价，陈升（1986）对农户经营农机的优势与劣势进行了分析。陈世忠和张缔庆（1990）分析了农户耕地面积对农户使用农机行为的影响。翟印礼和白冬艳（2004）分析了农户收入、土地制度、农机产品质量、农机服务组织、耕作自然条件等因素对农户使用农机的影响。吴海华（2005）分析了农机购置补贴对农户使用农机的影响。冯建英等（2007）利用农户调查数据分析了农户农机购买目的、方式及影响因素。林万龙和孙翠清（2007）通过分析省级层面数据，认为农户投资农机的影响因素包括：农户的土地经营规模、种植业的生产专业化程度、当地社会的信息化水平、私人农机服务的供求能力等。涂志强等（2008）认为农户购买农机能力的影响因素主要有：农村居民恩格尔系数、地区生产总值、农民人均纯收入、农民人均生活消费支出、购买欲望等。何泽军（2008）采用农户调查数据分析了农户农机装备现状及农户对农机的心理需求状况。刘玉梅等（2009）利用农户微观调查数据，对影响大型农机装备需求的决定因素进行了实证分析，其研究结果表明，影响农户对大型农机装备需求及需求量的关键因素是家庭收入、家庭人口规模、户主年龄、教育程度及参加职业培训情况等。

（3）国内外现有文献的不足之处

农户使用农机行为属于农户的生产行为，现有研究文献的理论基础也主要是依据新古典生产行为理论。而农户具有生产者与消费者的双重特征，农户消费行为对其生产行为有重要影响。现有文献对农户的消费者属性考虑不够，这可能会使研究结论产生偏差。研究农户使用农机的文献，特别是国内文献，多是进行实证分析，而缺少对农户使用农机行为的理论分析。没有统一的理论分析框架，实证分析结论就会缺乏普遍性。本书对农户使用农机行为的研究，一个重要目标就是要基于农户行为理论，提出一个适于分析我国农户使用农机行为的理论框架。

2

农户行为模型构建

本章主要研究任务是提出一个适于分析我国农户行为的理论模型。本章具体研究内容安排如下：第 1 节研究农户的消费行为；第 2 节研究农户的生产行为；第 3 节综合分析农户的生产与消费行为的关系，提出农户行为模型；第 4 节对本章研究内容进行小结。

2.1　农户消费行为

经济学中分析消费行为最重要的概念是"效用"，效用是一个抽象的概念，在经济学中被用来表示消费者从消费物品中所得到的主观享受、用处或满足。确切地说，效用是一种简单的分析结构，它被用来解释理性的消费者如何把有限的收入分配在能给他们带来效用的各种物品上（保罗·萨缪尔森和威廉·诺德豪斯，2007）。在效用这一概念下，消费者的消费行为被形式化为：在各类约束条件下，追求效用水平的最大化。本书认为农户的消费行为亦遵循这一逻辑。

消费者追求效用最大化的过程符合被萨缪尔森称之为超越需求理论之上的逻辑的基本规律：如果你想把任何有限的资源分配于各种不同的用途，那么，只要一种用途的边际利益大于另一种，把资源从边际利益较低的用途转移到边际利益较高的用途就会使你得到好处——一直到一切边际利益相等时的最终均衡为止（保罗·萨缪尔森和威廉·诺德豪斯，2007）。

描述消费者在消费中所获得的效用水平与所消费的物品组合之间数量关系的函数称为效用函数。效用函数描述了消费者对不同消费品的偏好程度，以及不同消费品之间的替代关系。通过效用函数及预算约束，可以推导出消费者对不同消费品的需求函数，进而可以预测消费者对消费品价格变化的反应。因此，弄清效用函数的构成及具体形式，是研究消费者行为的基础。

本节研究内容主要包括：分析并设定农户效用函数的自变量，即对农户消费的基本要素进行归纳与综合；分析农户效用函数的具体形式及效用函数参数的估计方法；讨论农户消费行为的均衡条件。需要说明的是，农户的消费行为根据其自身特征及其面临的市场环境不同而不同。本节对农户消费行为的分析均基于当前我国农户的一般特征及当前我国农户所面临的一般市场环境。

2.1.1　农户效用函数的自变量

在新古典消费理论中，消费者在预算约束下最大化其效用水平。其效用函数为

$$U = U(x_1, x_2, \cdots, x_n)$$

预算约束为

$$\sum p_i x_i = I = W + V$$

式中，x_i 为消费者从市场购买的商品；p_i 为购买价格；I 为货币收入；W 为工资收入；V 为其他收入。新古典消费理论将各类从市场购买的商品作为效用函数的自变量。

新家庭经济学认为从市场购买的商品 X 不能直接用来消费，通过家务劳动将市场购买商品 X 加工成 Z 物品，才是直接进入效用函数的消费品（Becker，1965）。例如，看电影，除了需要购买电影票，还需要观看电影的时间；睡觉，除了需要购买睡觉用的床铺，还需要睡眠的时间等。设定 Z 物品的生产函数为

$$Z_i = f_i(x_i, T_i)$$

式中，T_i 为生产 Z_i 的家庭劳务时间。此时消费者的效用函数变为

$$U = U(Z_1, Z_2, \cdots, Z_n) = U(f_1, f_2, \cdots, f_n) = U(x_1, x_2, \cdots, x_n; T_1, T_2, \cdots, T_n)$$

因此，新家庭经济学认为效用函数的自变量包括市场购买商品 x_i 以及家庭劳务时间 T_i。

新古典的要素供给理论在讨论劳动供给曲线时讲到：劳动供给涉及消费者对其拥有的既定时间资源的分配。消费者选择一部分时间作为闲暇来享受，选择其余时间作为劳动供给。前者即闲暇直接增加了效用，后者则可以带来收入，通过收入用于消费再增加消费者的效用。因此，就实质而言，消费者并非是在闲暇和劳动之间选择，而是在闲暇和劳动收入之间选择（高鸿业，2001）。此时消费者的效用函数为

$$U = U(Y, T_c)$$

式中，Y 为收入；T_c 为闲暇。

现有的农户行为模型亦大都将闲暇作为效用函数的自变量，巴鲁姆 – 斯奎尔农户行为模型认为闲暇、自我消费的农产品、购买的商品是消费效用函数的

自变量。其实，考虑闲暇对消费者效用的重要性，将闲暇作为效用函数的自变量之一，正是农户行为模型的独到之处。也正是这个原因，农户行为模型能反映出经济主体在消费闲暇与生产劳动之间的两难选择，从而能将农户的消费行为与生产行为纳入统一的分析框架。

基于以上分析，本书将构建的农户行为模型亦将闲暇作为效用函数的自变量之一。关于效用函数的自变量，剩下要讨论的问题是将商品 X（自留或购买的）还是收入 Y 作为效用函数的自变量。由于本书构建农户行为模型的目的是为分析农户使用农机行为提供一个理论框架，在接下来的分析中可以看到，选择收入 Y 作为效用函数的自变量，将更有利于对农户使用农机行为进行分析。因此，本书设定农户效用函数为

$$U = U(Y, T_c)$$

研究农户消费闲暇及收入对其效用水平的具体影响，需要估计出农户的效用函数。农户效用函数的估计可分两步进行：一是合理设定效用函数的具体形式；二是对所设定效用函数参数进行估计。

2.1.2 农户效用函数的形式设定

效用函数形式设定的依据是消费者对消费品的偏好特征，主要包括消费品的边际效用特征以及消费品之间的替代关系特征。一般认为，正常消费品的边际效用均符合边际效用递减规律。因此，消费品之间的替代关系特征成为研究者设定效用函数形式、研究消费者行为的重要依据。

2.1.2.1 效用函数形式分类

替代弹性①是反映效用函数中不同消费品之间替代关系的一个重要概念。效用函数根据其替代弹性不同，可以分为五类：一是替代弹性固定为 0 的 Leontief 效用函数，它表示消费的两种商品完全互补，两种商品必须按照固定不变的比例同时被消费；二是替代弹性固定为 1 的柯布－道格拉斯（Cobb-Douglas，CD）效用函数；三是替代弹性为固定常数的固定替代弹性效用函数

---

① 替代弹性：当两种消费物品外生的价格比 p_i/p_j 变化的比率，引起对这两种消费物品消费量比 x_i/x_j 变化的比率，称为消费物品 x_i 对 x_j 的替代弹性 σ。消费弹性 σ 的公式为

$$\sigma = \frac{\dfrac{d(x_j/x_i)}{x_j/x_i}}{\dfrac{d(p_i/p_j)}{p_i/p_j}} = \frac{\dfrac{d(x_j/x_i)}{d(p_i/p_j)}}{\dfrac{x_j/x_i}{p_i/p_j}}$$

替代弹性越大，表示两种物品间的替代性越强。

（constant elasticity of substitution utility function，CES）；四是替代弹性为无穷大的线性效应函数，它表示两种商品可完全替代，且替代比例固定不变的情况；五是替代弹性随着消费选择的不同而变化的可变替代弹性效用函数（variable elasticity of substitution utility function，VES）。五类效应函数的代数形式如表2-1所示。

表2-1　效用函数形式分类

效用函数名称	效用函数形式	替代弹性	备　注
Leontief 效用函数	$U = \min\ (Y,\ aT_c)$	$\sigma = 0$	$a > 0$
CD 效用函数	$U = Y^{\alpha} T_c^{(1-\alpha)}$	$\sigma = 1$	$0 < \alpha < 1$
CES 效用函数	$U = [\ aY^p +\ (1-a)\ T_c^p\ ]^{1/\rho}$	$0 < \sigma < 1$ 或 $\sigma > 1$	$0 < a < 1$ $\rho > 0$
线性效用函数	$U = Y + aT_c$	$\sigma = +\infty$	$a > 0$
VES 效用函数	$U = T_c^{(1-\delta h)}[\ Y + (h-1)\ T_c\ ]^{\delta h}$	σ 可变	

2.1.2.2　效用函数形式的筛选

根据效用函数反映的消费者对消费品的偏好特征，以及效应函数替代弹性中隐含的闲暇需求与劳动供给的部分特征[1]，可以对效应函数形式进行筛选。

首先，对农户消费的约束条件进行研究。设农户的收入均来自劳动收入，农户劳动报酬率为 r，则农户消费的约束条件[2]为

$$T \cdot r = Y + T_c \cdot r$$

式中，T 为总的可用时间；Y 为劳动收入；T_c 为闲暇。视 $T \cdot r$ 为农户的完全收入（full income），则农户消费的两种"商品"：闲暇 T_c 的"价格"为 r，收入 Y 的"价格"为1。

由于时间既是农户的生产要素，又是农户的消费要素，因此农户效应函数的替代弹性包含了农户闲暇需求与劳动供给的部分特征。其分析过程如下：

根据替代弹性的定义，则有

---

[1]　由于总的可用时间一定，农户的闲暇与劳动时间之和即为总的可用时间，因此弄清农户闲暇需求特征就相应知道了农户的劳动供给特征。

[2]　此处对农户消费的约束条件作了简化处理，具体的分析要涉及农户的生产行为，见章节2.2。农户的劳动时间为总的可用时间 T 减去闲暇 T_c，则农户的劳动收入 $Y = (T - T_c) \cdot r \Rightarrow T \cdot r = Y + T_c \cdot r$。

$$\sigma = \frac{\dfrac{\mathrm{d}(Y/T_{\mathrm{c}})}{Y/T_{\mathrm{c}}}}{\dfrac{\mathrm{d}(r/1)}{r/1}} = \frac{\ln\left(\dfrac{Y}{T_{\mathrm{c}}}\right)}{\ln\left(\dfrac{r}{1}\right)}$$

$$\Rightarrow \ln\left(\frac{Y}{T_{\mathrm{c}}}\right) = \sigma \cdot \ln\left(\frac{r}{1}\right) = \sigma \cdot \ln(r)$$

由于 $\dfrac{Y}{T_{\mathrm{c}}} = \dfrac{(T - T_{\mathrm{c}})r}{T_{\mathrm{c}}} \Rightarrow \ln\left(\dfrac{Y}{T_{\mathrm{c}}}\right) = \ln\left(\dfrac{T - T_{\mathrm{c}}}{T_{\mathrm{c}}}\right) + \ln(r) = \sigma \cdot \ln(r)$

$$\Rightarrow \ln\left(\frac{T - T_{\mathrm{c}}}{T_{\mathrm{c}}}\right) = (\sigma - 1) \cdot \ln(r)$$

$$\Rightarrow \frac{T - T_{\mathrm{c}}}{T_{\mathrm{c}}} = r^{\sigma - 1}$$

$$\Rightarrow T_{\mathrm{c}} = \frac{T}{r^{\sigma - 1} + 1}$$

公式 $T_{\mathrm{c}} = \dfrac{T}{r^{\sigma - 1} + 1}$ 反映出了随着替代弹性取值的不同，农户闲暇 T_{c} 与劳动报酬率 r 呈现的函数关系亦不同。下面结合图形，分析不同类型效用函数下的劳动供给特征。

（1）Leontief 效用函数与线性效用函数

Leontief 效用函数的替代弹性 $\sigma = 0$，其反映的是两种消费品完全互补的情况，其效用函数无差异曲线为直角形状，如图 2-1 所示。

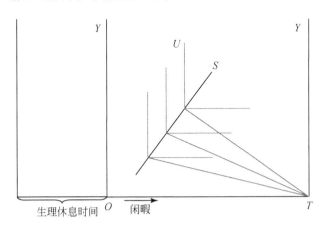

图 2-1　Leontief 效用函数下的农户劳动供给曲线

线性效用函数的替代弹性 $\sigma = +\infty$，其反映的是两种消费品完全替代的情况，其效用函数无差异曲线为直线，如图 2-2 所示。

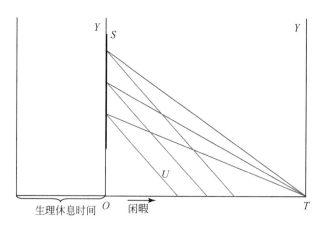

图 2-2　线性效用函数下的农户劳动供给曲线

Leontief 效用函数与线性效用函数反映的是消费品之间具有完全互补与完全替代的关系，这显然不符合农户对闲暇与收入的偏好特征。因此，Leontief 效用函数形式与线性效用函数形式均不适合作为农户的效用函数。

（2）CD 效用函数

CD 效用函数的形式为

$$U = Y^{\alpha} T_{c}^{(1-\alpha)} \quad (0 < \alpha < 1)$$

CD 效用函数有许多良好的性质，如 α 和 $1-\alpha$ 分别为收入和闲暇在消费效用中的相对重要性，且 α 为收入带来的效用占总效用的份额，$1-\alpha$ 为闲暇来的效用占总效用的份额。α 和 $1-\alpha$ 分别为 Y 和 T_{c} 的效用变化弹性。

Y 和 T_{c} 的边际替代率为

$$\mathrm{MRS}_{YT_{c}} = -\frac{\mathrm{d}T_{c}}{\mathrm{d}Y} = -\frac{\partial u/\partial Y}{\partial u/\partial T_{c}} = -\frac{\alpha}{1-\alpha} \cdot \frac{T_{c}}{Y}$$

在公式 $T_{c} = \dfrac{T}{r^{\sigma-1}+1}$ 中，由于 CD 效用函数的替代弹性 $\sigma = 1$，所以有 $T_{c} = \dfrac{T}{2}$。这说明 CD 效用函数下的农户，其闲暇不随劳动报酬率 r 的变化而变化。拥有 CD 效用函数的农户，其闲暇需求曲线或者说劳动供给曲线是一条垂直的直线，如图 2-3 所示。

（3）CES 效用函数

CES 效用函数的函数形式为

$$U = \left[aY^{p} + (1-a) T_{c}^{p} \right]^{1/p} \quad (0 < a < 1, \rho > 0)$$

其替代弹性 $\sigma = \dfrac{1}{1-\rho}$（$0 < \sigma < 1$ 或 $\sigma > 1$）。CES 效用函数改进了 CD 效用

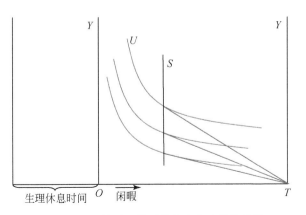

图 2-3　CD 效用函数下的农户劳动供给曲线

函数替代弹性固定为 1 的缺点。

Y 和 T_c 的边际替代率为

$$\mathrm{MRS}_{YT_c} = -\frac{\mathrm{d}T_c}{\mathrm{d}Y} = -\frac{\partial u/\partial Y}{\partial u/\partial T_c} = -\frac{a}{1-a}\left(\frac{T_c}{Y}\right)^{1-\rho}$$

在公式 $T_c = \dfrac{T}{r^{\sigma-1}+1}$ 中，当 CES 效用函数的替代弹性 $0 < \sigma < 1$ 时，有 $\sigma-1 < 0$，此时农户闲暇 T_c 随着劳动报酬率 r 的增加而增加，农户劳动供给则随着劳动报酬率 r 的增加而减少，如图 2-4 所示。当 CES 效用函数的替代弹性 $\sigma > 1$ 时，有 $\sigma-1 > 0$，此时农户闲暇 T_c 随着劳动报酬率 r 的增加而减少，农户劳动供给则随着劳动报酬率 r 的增加而增加，如图 2-5 所示。

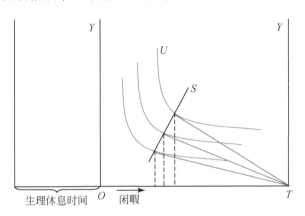

图 2-4　CES 效用函数下的农户劳动供给曲线（$0 < \sigma < 1$）

（4）VES 效用函数

VES 效应函数形式为

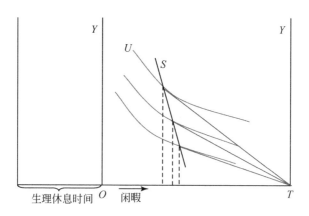

图 2-5　CES 效用函数下的农户劳动供给曲线（$\sigma > 1$）

$$U = T_c^{(1-\delta h)} \left[Y + (h - 1) T_c \right]^{\delta h}$$

替代弹性 $\sigma = 1 + \left(\dfrac{h-1}{1-\delta h} \right) \dfrac{T_c}{Y}$，它随着 $\dfrac{Y}{T_c}$ 的变化而变化。而 $\dfrac{Y}{T_c}$ 是随着劳动报酬率 r 的变化而变化的。这是因为

$$\frac{Y}{T_c} = \beta_0 + \beta_1 \cdot r$$

式中，$\beta_0 = \dfrac{1-h}{1-\delta h}$，$\beta_1 = \dfrac{\delta h}{1-\delta h}$。

图 2-6 描述了当 $\beta_0 < 0$，$\beta_1 > 0$ 时，VES 效用函数对应的农户劳动供给曲线。VES 效用函数对应的农户劳动供给行为的特征是：随着劳动报酬率的增加，农户劳动时间先增加后减少。

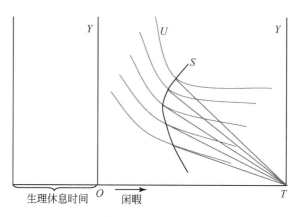

图 2-6　VES 效用函数下的农户劳动供给曲线

（5）农户效用函数的筛选

劳动供给理论一般认为：在劳动报酬率较低时，个体的劳动时间随着劳动报酬率的提高而提高，劳动供给曲线为图 2-7 中 *AB* 段；当劳动报酬率达到一定高度，劳动时间会随着劳动报酬率的提高而降低，劳动供给曲线为图 2-7 中 *BC* 段。

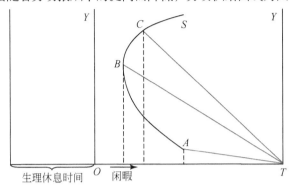

图 2-7　一般的劳动供给曲线

当前我国正处于二元经济结构转变时期，大量的农民走出农村到城市寻求劳动报酬稍高于农业生产的工作，农民的平均收入还低于社会平均水平，应该说随着劳动报酬的提高农民是愿意增加劳动供给的。基于这一重要特征，采用替代弹性大于 1 的 CES 效用函数描述当前我国农户的效用函数特征，是比较合适的。CES 效用函数的形式为

$$U = (aY^\rho + (1 - a)T_c^\rho)^{1/\rho} \qquad (0 < a < 1, \rho > 0)$$

其替代弹性 $\sigma = \dfrac{1}{1 - \rho}$。由于 $\sigma > 1 \Rightarrow 0 < \rho < 1$，所以农户效用函数形式设定为

$$U = (aY^\rho + (1 - a)T_c^\rho)^{1/\rho} \qquad (0 < a, \rho < 1)$$

2.1.3　农户效用函数参数的估计

上述农户效用函数含有两个参数 a 与 ρ，下面分析效用函数中参数 a 与 ρ 的估计方法。

（1）参数 ρ 的估计

CES 效用函数的替代弹性 $\sigma = \dfrac{1}{1 - \rho} \Rightarrow \rho = 1 - 1/\sigma$。因此，只要估计得到替代弹性 σ 的值，则可估计出参数 ρ 的值。而根据替代弹性 σ 的定义，有如下方程式

$$\ln\left(\frac{Y}{T_c}\right) = \sigma \cdot \ln(r)$$

将方程式写成回归形式，即

$$\ln\left(\frac{Y}{T_c}\right)_t = \sigma_0 + \sigma_1 \cdot \ln(r)_t + u_t$$

式中，σ_0 为常数项；u_t 为误差项；t 为第 t 个观测值；σ_1 就是 CES 效用函数替代弹性的估计值（林祖嘉，1999）。

参数 ρ 的估计值 $\hat{\rho} = 1 - 1/\sigma_1$。

因此，根据农户收入与闲暇的比例随着劳动报酬率的变化而变化的数据[①]，就可以估计出替代弹性 σ，进而估计出参数 ρ。

（2）参数 α 的估计

根据需求理论，农户效用最大化的最优选择点满足：闲暇 T_c 与收入 Y 的边际替代率等于其价格的比例。即

$$\mathrm{MRS}_{T_c Y} = -\frac{\mathrm{d}Y}{\mathrm{d}T_c} = \frac{\partial u/\partial T_c}{\partial u/\partial Y} = \frac{1-a}{a}\left(\frac{Y}{T_c}\right)^{1-\rho} = \frac{r}{1}$$

令 $\beta \equiv \dfrac{1-a}{a}$

则有

$$r = \beta \cdot \left(\frac{Y}{T_c}\right)^{1-\rho}$$

将方程式写出回归形式，即

$$r_t = \beta_0 + \beta_1 \cdot \left(\frac{Y}{T_c}\right)_t^{1-\rho} + u_t$$

式中，β_0 为常数项；u_t 为误差项；t 为第 t 个观测值；而 β_1 就是 β 的估计值。

参数 a 的估计值 $\hat{a} = \dfrac{1}{\beta_1 + 1}$。

因此，根据农户收入与闲暇的比例随着劳动报酬率的变化而变化的数据，以及参数 ρ 的估计值，就可以估计出参数 α。

2.1.4 农户消费行为的均衡

2.1.4.1 效用函数参数的经济含义

（1）参数 ρ 的经济含义

CES 效用函数的替代弹性 $\sigma = \dfrac{1}{1-\rho}$，得到 $\rho = 1 - \dfrac{1}{\sigma}$（$0 < \rho < 1$）。因此，

---

① 由于农户就业机会的限制，农户的实际劳动时间与意愿劳动时间可能有差距。估计效用函数参数时，应采用在劳动报酬率变化时，对应的农户意愿闲暇与劳动时间的数据。

参数 ρ 反映了农户对两种消费品的替代弹性。参数 ρ 越大，替代弹性 σ 越大，农户时间配置（闲暇的需求与劳动的供给）对劳动报酬率 r 的变动越敏感。

当参数 $\rho \to 0$ 时，替代弹性 $\sigma \to 1$，CES 效用函数曲线向 CD 效用函数曲线 $U = Y^{\alpha} T_c^{(1-\alpha)}$ 靠近，农户时间配置对劳动报酬率 r 的变动极不敏感；当参数 $\rho \to 1$ 时，替代弹性 $\sigma \to +\infty$，CES 效用函数曲线向线性效用函数曲线 $U = Y + aT_c$ 靠近，农户时间配置对劳动报酬率 r 的变动极为敏感，劳动报酬率的微小变动，可能导致农户时间配置结果的巨大变化。

（2）参数 a 的经济含义

参数 a 反映的是农户对收入 Y 与闲暇 T_c 的相对偏好程度。a 越大，农户越相对偏好于收入 Y。参数 a 的这一经济含义可从闲暇 T_c 与收入 Y 的边际替代率中分析得到。闲暇 T_c 与收入 Y 的边际替代率为

$$\mathrm{MRS}_{T_c Y} = \frac{1-a}{a} \left(\frac{Y}{T_c} \right)^{1-\rho}$$

从方程式中可以看出，$\mathrm{MRS}_{T_c Y}$ 与 $\frac{1-a}{a}$、$\frac{Y}{T_c}$ 及 ρ 有关。若 $\frac{Y}{T_c}$ 与 ρ 一定，a 越大，$\frac{1-a}{a}$ 越小，$\mathrm{MRS}_{T_c Y}$ 也越小，闲暇 T_c 对收入 Y 的替代性越小，农户越相对偏好于收入 Y；反之则反。

当 $a = \dfrac{1}{2}$ 时，$\dfrac{1-a}{a} = 1$，$\mathrm{MRS}_{T_c Y} = \left(\dfrac{Y}{T_c} \right)^{1-\rho}$，效用函数形式变为

$$U = (Y^p + T_c^p)^{1/\rho}$$

此时农户对闲暇 T_c 与收入 Y 的偏好相对无差异。

一般来讲，经济条件较差的农户比经济条件较好的农户更相对偏好于收入 Y，因此其效用函数的参数 a 也相对较大。

（3）参数 a 与 ρ 反映出的图形特征

农户效用函数形式为

$$U = [aY^p + (1-a)T_c^p]^{1/\rho} (0 < a, \rho < 1)$$

采用 Microsoft Excel 软件可绘制出农户效用函数无差异曲线。

若设定效用水平 $U = 1$，参数 $a = 0.5$，ρ 分别取 0.2、0.5、0.7，可得到图 2-8（a）中的三条曲线。可见，随着参数 ρ 的增加，效用函数曲线凸向原点的弯曲度变小。

若设定效用水平 $U = 1$，参数 $\rho = 0.5$，a 分别取 0.4、0.5、0.6，可得到图 2-8（b）中的三条曲线。可见，随着参数 α 的增加，效用函数曲线越来越平缓。

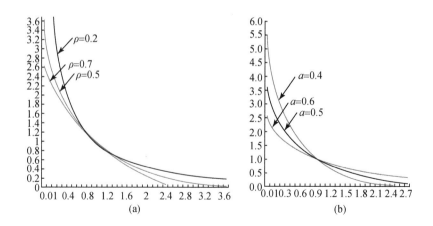

图 2-8 参数的取值与效用函数曲线的形状

2.1.4.2 效用最大化的均衡条件

农户的消费行为是在预算约束下，选择效用最大化的消费组合。模型化后的消费行为如下：

$$\text{Obj：max } U = (aY^p + (1-a)T_c^p)^{1/\rho} \quad (0 < a, \rho < 1)$$

$$\text{s.t.：} T \cdot r = Y + T_c \cdot r$$

通过求最优解得到农户消费行为的均衡条件：闲暇 T_c 与收入 Y 的边际替代率等于其价格的比例，即

$$\text{MRS}_{T_cY} = \frac{1-a}{a}\left(\frac{Y}{T_c}\right)^{1-\rho} = \frac{r}{1}$$

进一步可求得农户对收入 Y 和闲暇 T_c 的需求函数为

$$T_c = \frac{(1-a)^\sigma T \cdot r^{1-\sigma}}{a^\sigma + (1-a)^\sigma r^{1-\sigma}}$$

$$Y = \frac{a^\sigma T \cdot r}{a^\sigma + (1-a)^\sigma r^{1-\sigma}}$$

将需求函数带入直接效用函数，可得到农户的间接效用函数，即

$$V(T,r) = T \cdot r\left[\alpha^\sigma + (1-\alpha)^\sigma r^{\sigma-1}\right]^{\frac{\sigma}{\sigma-1}}$$

若令 $\theta = \dfrac{Y}{T \cdot r} = \dfrac{T - T_c}{T}$，则有

$$\frac{T_c}{Y} = \frac{1-\theta}{\theta \cdot r}$$

式中，θ 为劳动时间与总时间之比（Rutherford，2008）。用 θ 来表示参数 a，

则有

$$\alpha = \frac{(\theta \cdot r)^{1/\sigma}}{r(1-\theta)^{1/\sigma} + (\theta \cdot r)^{1/\sigma}}$$

将 a 带入效用 $U = (aY^\rho + (1-a)T_c^\rho)^{1/\rho}$ 中，可得到

$$U = A \cdot [(\theta \cdot r)^{1/\sigma} Y^\rho + r(1-\theta)^{1/\sigma} T_c^\rho]^{1/\rho}$$

式中，$A = [r(1-\theta)^{1/\sigma} + (\theta \cdot r)^{1/\sigma}]^{1/\rho}$。在序数效用函数中，常数因子 A 对其效用排序无影响。将总收入 $T \cdot \bar{r}$ 带入，可得到货币度量的效用函数（money-metric utility functions），即

$$\widetilde{U} = T \cdot \bar{r} \cdot \left[\theta \cdot r^{1-\rho} \left(\frac{Y}{\overline{Y}} \right)^\rho + \frac{r}{\bar{r}^\rho} (1-\theta)^{1-\rho} \theta^\rho \left(\frac{T_c}{\overline{T_c}} \right)^\rho \right]^{1/\rho}$$

2.1.4.3 均衡内点解存在性的讨论

本节在研究农户消费行为均衡时，将农户消费行为的约束条件简化为：$T \cdot r = Y + T_c \cdot r$。这种简化包含有两条较苛刻的假设：一是农户可以自由选择劳动时间，不受就业机会的限制；二是农户劳动报酬率为常数 r。而就业机会有限制与不同职业劳动报酬率有显著差异，恰是我国农户所面临的生产环境的主要特征。因此，对农户消费行为的约束条件如此苛刻的简化是不尽合理的。

如果农户不能自由选择劳动时间，则可能导致农户消费均衡点不是内点解而是角点解①。在图 2-9 中，在给定劳动报酬率水平 r 的情况下，如果农户不受就业条件限制，能够自由选择劳动时间，则农户消费的均衡点为 A 点，享受的闲暇为 T_{c1}，均衡点 A 为效用无差异曲线与预算约束线的切点，是内点解。如果农户受到就业条件限制，不能够自由选择劳动时间，比如有效劳动时间最多为 $T - T_{c2}$，则农户效用最大化的点为 B 点，此时享受的闲暇为 T_{c2}。此时的均衡点 B 是预算约束曲线的端点与效用无差异曲线的交点，是角点解。在角点解的情况下，不符合消费品的边际替代率等于相应价格之比的条件。

农户预算约束曲线的具体情况涉及农户的生产行为，这将是 2.2 节分析的主要内容。农户消费均衡能否达到内点解，或者说农户消费均衡是内点解居多还是角点解居多，这些将在 2.3 节中作进一步讨论。

① 内点解与角点解来自数学中的概念。新古典消费理论中，消费行为的最优解在通常情况下是无差异曲线和预算线相切的点，这样的均衡点被称为内点解；而角点解是指最优点在预算约束线的端点取得的情况。此处产生的角点解是由于预算约束曲线受到了限制。以杨小凯为代表的超边际分析学派对经济中存在的角点解作了许多有意义的讨论，见杨小凯的《经济学新兴古典与新古典框架》。

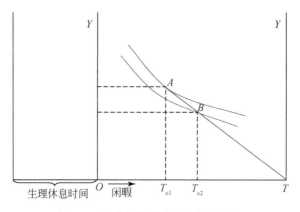

图 2-9　消费均衡的内点解与角点解

2.2　农户生产行为

新古典经济学认为消费者的消费行为目标是追求效用最大化，而企业的生产行为目标是追求利润最大化。与新古典的纯消费者或企业不同，农户既是一个消费单位，又是一个生产单位。农户的消费行为一方面受闲暇时间的约束，另一方面受可支配收入的约束，而农户的可支配收入又主要来自于农户的生产收入。

当前，无论是在城市还是在农村，商品市场均已足够发育。生产者生产的物品不管是供他人使用还是自用，均可用货币来衡量，且人们已经习惯了用货币收入来衡量自己生产行为的最终成果。

当要素市场完善，各生产要素均有明确、可交易的市场价格时，农户的生产收入 = 生产利润 + 自有劳动报酬。当生产要素市场不太发育时，由于部分生产要素不能明确定价（特别是农户自有劳动无法明确定价），因此也无法确切地计算生产利润，此时可笼统地认为：农户生产收入全部来自农户自有劳动报酬[①]，农户的生产收入 = 农户自有劳动报酬。目前，我国大部分农户习惯的也是包含自有劳动报酬的收入概念，而不是扣除自有劳动报酬后的利润概念，因为农户一般还无法确切衡量自有劳动的机会成本。

---

① 从恰亚诺夫（1996）的"自我剥削"现象，到吉尔茨的"内卷化"现象，以及黄宗智（1992）的"过密化"现象，讨论的均是农户在低于市场工资的情况下，继续投入劳动的情形。如果按照市场工资计算农户的劳动成本，会发现农户生产利润为负。在二元经济结构下，农户劳动总是受到就业机会的限制，哪怕是存在所谓的市场工资，农户也无法用这一市场工资来作为自己劳动的机会成本。因此，只要农户面临的劳动力市场还未达到新古典完善市场的程度，就不适合用利润来衡量农户的生产行为，可以认为扣除农户生产中的实际支出后的剩余，均归属农户自有劳动报酬。

因此，本书亦采用生产收入而不是生产利润来描述农户生产行为的成果，并且认为农户生产收入全部来自农户的自有劳动报酬。如此处理也恰好使农户生产收入与农户消费行为中的可支配收入衔接上。采用生产收入而不是生产利润的另一个好处是，无论农户所面临的要素市场发育程度如何，其行为均可统一纳入本书构建的农户行为模型进行分析。

本节首先将阐述农户收入及其组成，然后分析如何用劳动报酬曲线来反映农户的生产行为以及劳动报酬曲线的形式设定与估计，最后将讨论农户生产行为抉择与劳动报酬曲线的变动。

2.2.1　农户收入

当前我国农户收入来源有三：农业收入、非农收入和其他收入，农业收入与非农收入属于农户的生产收入或劳动收入，其他收入属于非生产收入或非劳动收入。设 Y、Y_f、Y_w、Y_v 分别代表农户总收入、农业收入、非农收入和其他收入，则

$$Y = Y_f + Y_w + Y_v$$

下面将具体分析这三类收入来源。

（1）农户农业收入

农业收入取决于农产品价格、农业生产成本及农产品产量。由于农产品市场已足够发育，对于农户留作自用的农产品，可视为农户购买了自己生产的农产品，留作自用的农产品也纳入计算农业收入。农户农业收入函数为

$$Y_f = Y_f(p_f, Q, c)$$

式中，p_f 为农产品价格；Q 为农产品产量；c 为农业生产成本。

一般的农业生产函数为

$$Q = Q(L, K, N)$$

式中，L 为劳动投入；K 为资本投入；N 为土地投入。劳动投入 L 等于农户自有劳动投入 T_f 与雇佣劳动投入 L_h 之和，即 $L = T_f + L_h$。本书拟采用的生产函数形式为

$$Q = Q(T_f, R)$$

$$R = R(L_h, K, N)$$

式中，R 为农户农业劳动生产率，即农户自有劳动投入的生产率。农产品产量是农户农业劳动时间与农户农业劳动生产率的函数，农户农业劳动生产率是雇

佣劳动①、资本及土地的函数。在此需要说明的是，本书将农户农业劳动投入（包括劳动投入的数量与质量）设定为农产品产量的唯一直接影响因素，资本与土地投入对产量的影响，是通过先影响农户农业劳动生产率，而间接影响产量。如单位土地面积资本投入的增加可能会提高农业劳动生产率，单位土地面积资本投入的减少可能会降低农户农业劳动生产率。

如果考虑农业生产风险对农业产量的影响，且用 $1-\tau$ 代表农业生产风险系数，或者用 τ 代表农业生产保障系数，则农户农业生产函数变为

$$Q = Q(T_f, R, \tau)$$

将其带入农户农业收入函数，则有

$$Y_f = Y_f(p_f, c, T_f, R, \tau)$$

设 $\bar{c}$ 为农产品平均生产成本，$\bar{R}$ 为平均农业劳动生产率，则农户农业收入函数可具体写为

$$Y_f = (p_f - \bar{c}) \times T_f \times \bar{R} \times \tau$$

（2）农户非农收入

非农收入主要考虑在给定工资率下的非农劳动收入。农户非农收入受三个因素的影响：农户非农劳动时间、非农工资率和从事非农劳动的各类成本。农户从事非农劳动的各类成本包括学习培训费用、交通信息费用、工作介绍费用等，可综合作为交易费用考虑。设农户从事非农劳动的交易成本系数为 $1-k$，或者农户从事非农劳动的交易效率系数为 k（杨小凯，2003），则农户非农收入函数可表示为

$$Y_w = Y_w(T_w, w) \cdot k$$

式中，T_w 为农户非农劳动时间；w 为非农工资率。

设 $\bar{w}$ 为平均非农工资率，则农户非农收入函数可具体写为

$$Y_w = T_w \cdot \bar{w} \cdot k$$

（3）农户其他收入

其他收入不属于劳动收入，主要包括转移支付收入、利息收入、租金收入、无偿赠与收入等。现阶段我国农户的其他收入占总收入比重较小，可假设

---

① 此处的雇佣劳动是指农户以支付货币或实物为代价，获得家庭以外劳动力进行农业生产，雇佣劳动可视为一种特殊的资本投入。农户以换工的形式获得外来劳动力，实质是对自有劳动力的时间调度，不属于雇佣劳动。本书构建的农户行为模型将农户自身劳动与雇佣劳动区别对待是基于三方面的原因：第一，从消费的角度，农户劳动时间决定了农户闲暇，而雇佣劳动与农户消费无直接关系；从这一角度，雇佣劳动可视为一种特殊的资本投入。第二，将农户自身劳动与雇佣劳动区别对待，更有利于分析我国当前农户的经济行为；由于当前劳动力市场的欠发育，使得农户雇佣劳动需遵循其所在区域的劳动力市场价格，而农户使用自身劳动，则主要考虑的是农户自身的家庭经济情况。第三，本书将农户劳动报酬曲线作为主要分析工具之一，劳动报酬曲线反映的是农户自有劳动投入与农户收入之间的关系，即视农户生产总产出减去生产成本（包含雇佣劳动成本）的余额为农户的劳动报酬。

农户的其他收入为外生给定。

2.2.2 农户劳动报酬曲线

通过以上对农户各类收入的分析以及对农户农业收入函数与非农收入函数的设定，可知农户农业收入与非农收入均是农户劳动时间的函数。而农户生产行为的直接目的是获得收入，因此农户生产行为亦可理解为农户劳动投入行为（包括劳动数量投入和劳动质量投入）。劳动报酬曲线是描述劳动投入与收入关系的曲线，因此可用劳动报酬曲线来描述农户的生产行为情况。

图 2-10 描述了最简单的劳动报酬曲线，劳动报酬曲线的斜率即为劳动报酬率 r，农户收入随着劳动时间的增加而增加。

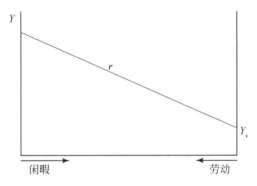

图 2-10 简单的劳动报酬曲线

2.2.3 农户劳动报酬曲线的形式设定

2.2.3.1 农户劳动报酬曲线的形式分类

根据劳动报酬率的变化情况，农户劳动报酬曲线可分为：固定劳动报酬率的劳动报酬曲线和劳动报酬率递减的劳动报酬曲线；根据劳动时间是否有限制，农户劳动报酬曲线可分为：无劳动时间限制的劳动报酬曲线和劳动时间受限制的劳动报酬曲线。

（1）固定劳动报酬率的劳动报酬曲线

固定劳动报酬率的劳动报酬曲线为直线，直线的斜率为劳动报酬率（图 2-11），其函数形式为

$$Y = Y_v + (T - T_c) \cdot r$$

（2）劳动报酬率递减的劳动报酬曲线

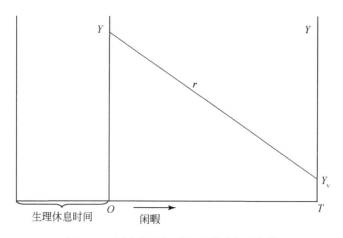

图 2-11 固定劳动报酬率的劳动报酬曲线

劳动报酬率递减的劳动报酬曲线的特征是，随着劳动时间的增加，劳动报酬曲线趋向平缓，如图 2-12 所示。若设劳动报酬率随着劳动的投入线性递减，即

$$r = b + c \cdot (T - T_c)$$

则相应的劳动报酬曲线为二次函数，即

$$Y = Y_v + b \cdot (T - T_c) + c \cdot (T - T_c)^2$$

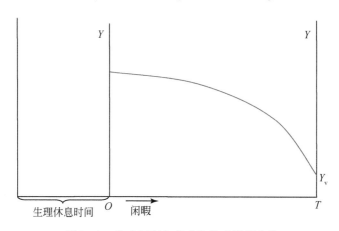

图 2-12 劳动报酬率递减的劳动报酬曲线

（3）劳动总时间受限的劳动报酬曲线

劳动总时间受限的劳动报酬率曲线，描述的是这样一种情况：当劳动时间 T_L 小于某一临界值 $T - T_0$ 时，劳动报酬率 $r > 0$；当劳动时间大于某一临界值 $T - T_0$ 时，劳动报酬率 $r = 0$，如图 2-13 所示。劳动时间受限的劳动报酬率曲

线，可视为劳动报酬率递减的劳动报酬曲线的特例。当劳动投入量达到临界值 $T-T_0$ 时，劳动报酬率迅速递减为 0。劳动时间受限的劳动报酬率曲线的函数形式为

$$Y = \begin{cases} f(T_L), & T_L < T - T_0 \\ f(T - T_0), & T_L > T - T_0 \end{cases}$$

若设在劳动时间小于 T_0 时，劳动报酬率为固定值，则劳动时间受限的劳动报酬率曲线的函数形式可写为

$$Y = \begin{cases} Y_v + T_L \cdot r, & T_L < T - T_0 \\ Y_v + (T - T_0) \cdot r, & T_L > T - T_0 \end{cases}$$

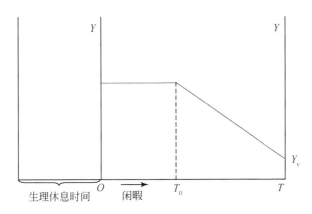

图 2-13　就业时间受限的劳动报酬曲线

（4）劳动时间离散的劳动报酬曲线

劳动时间离散，是指农户不能连续地选择劳动时间。劳动时间离散的劳动报酬率曲线的函数形式可写为

$$Y = f(T_L), \quad T_L \in (T - T_1, T - T_2, \cdots, T - T_n)$$

用虚线表示劳动报酬曲线，代表可选择的劳动时间是离散的。农户可选择劳动时间 $T - T_1$、$T - T_2$、$T - T_n$，而不能选择它们之间的劳动时间，如图 2-14 所示。

2.2.3.2　农户劳动报酬曲线的设定

当前我国农户在农业生产中的主要制约因素是人均土地面积不足，在非农生产中的主要制约因素是非农就业机会有限，这些都限制了农户劳动的自由投入。随着城市化进程的推进，一方面农民非农就业机会的限制逐渐变小，另一方面留守农村的农民可以耕种的土地逐渐增多。但农民劳动投入的限制仍将长期存在，在我国这样一个人口众多、经济分工组织还有待完善的国家，即使是

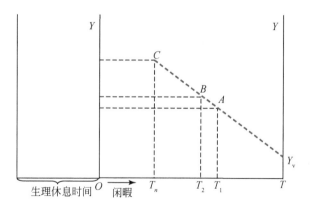

图 2-14　就业时间离散的劳动报酬曲线

部分市民也要受到就业机会的限制。

（1）农户农业劳动报酬曲线

随着工业化进程的推进，农业生产方式也发生着深刻的变化。首先是化肥、农药、除草剂等现代生产要素的使用，接着是各类生物技术、新品种的推出，以及新的耕种、植保、收获方法的采用。当前农户农业生产越来越呈现出以下特征：①农业生产需要越来越少的劳动投入。现代农业生产要素与新的耕作方法均有一个共同的特征就是"省工"，即在同样的生产效果下只需更少的劳动投入。②"说明书"式的农业生产。新的生产要素、新的耕作方法、新的劳动工具的使用均具有其固定的方法，这使得农业生产越来越像工厂车间的生产，趋向程序化、模式化。不同的作物有不同的耕作制度①，不同的耕作制度又有其固定的劳动及其他要素的投入要求。农户的农业生产过程就像是参照了一本农业生产"说明书"的操作过程。

当前农户农业生产的这些特征，使得农户在选择耕种的作物及耕作制度之后，进行农业生产之前，就已经大致清楚了所需要的各类要素、特别是劳动的投入量。在这样的农业生产特征下，农户的农业劳动报酬曲线类似图 2-15 所描述的形状，多余的劳动投入不能带来多余的收入，劳动投入不足则可能使收入大幅减少。在图 2-15 中，在农户选定耕种的作物及耕作制度之后，有效的农业劳动时间并不能连续变动，而是在 T_f^1 与 T_f^2 之间很狭小的范围内变化，可将这狭小的时间区间近似为时间点 T_f^0。即当耕地面积一定时，农户在选定耕

①　耕作制度是耕地上作物的种植制度以及与之配套的技术措施的总称。其中，作物种植制度是耕作制度的中心，主要是根据作物的生态适应性与生产条件，确定作物种植结构与布局。作物种植次数即复种与休闲，作物种植方式即间作、套种和单作、连作、轮作等。与作物相配套的技术措施是作物种植制度的基础与保证，包括农田基本建设、土壤培肥制度、灌溉水管理制度、土壤耕作制度、病虫害杂草防除制度以及农业服务制度等。

种的作物及耕作制度之后，农户的农业劳动投入量也就基本确定。由于农户对耕种作物及耕作制度的选择是离散的，因此农户的农业劳动投入选择也是离散的。图 2-15 中农户在农业劳动时间 T_f^0 下的收入为 Y_0，交点为 A 点，则可将农户的农业劳动报酬曲线简化成连接 B 与 A 点的虚线，虚线表示农户不能在 T_f^0 与 T 之间选择农业劳动时间，只能选择端点 A 处对应的劳动时间 T_f^0。

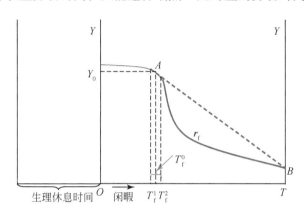

图 2-15　农户农业劳动报酬曲线

（2）农户非农劳动报酬曲线

农民从事非农劳动一般有固定的时间要求，如果农民从事的是一份每天工作 8 小时的工作，那么他就不能只工作 7 小时，因此农户非农劳动时间选择的离散性更加明显。基于这一特征，农户非农劳动报酬曲线如图 2-16 所示，同样用虚线表示劳动报酬曲线，代表农户的非农劳动时间不能连续选择。农户在选择 A 职业时，非农劳动时间要求为 $T - T_w^1$；如果农户选择 B 职业，则非农劳动时间要求跳跃到 $T - T_w^2$。

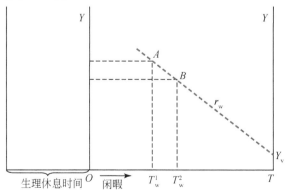

图 2-16　农户非农劳动报酬曲线

（3）农户劳动报酬曲线的设定

通过对农户农业劳动报酬曲线与非农劳动报酬曲线的分析，可知离散型的劳动报酬曲线更适合描述农户的生产行为。将农户农业劳动报酬曲线与非农劳动报酬曲线叠加，可得到农户劳动报酬曲线。图 2-17 表示了农户在选定某种农业生产方式与非农职业后的劳动报酬曲线，曲线的第一段表示农户农业劳动报酬曲线，农户从事农业生产的平均劳动报酬率为 r_f，农业劳动时间为 T_f，农业劳动报酬为 Y_f；曲线的第二段表示农户非农劳动报酬曲线，农户从事非农生产的平均劳动报酬率为 r_w，非农劳动时间为 T_w，非农劳动报酬为 Y_w。

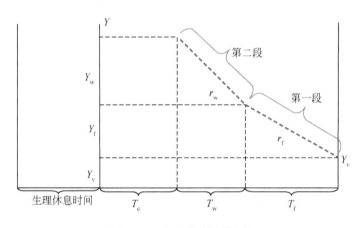

图 2-17　农户劳动报酬曲线

农户劳动报酬曲线的函数形式可写为

$$Y^i = T_f^i \cdot r_f^i + T_w^i \cdot r_w^i + Y_v, (i \in I = \{1, \cdots, n\})$$

式中，I 为农户可以选择的 n 种生产方式（农业生产方式与非农职业的组合）的集合；T_f^i、T_w^i、r_f^i、r_w^i、Y^i 分别为在农户可以选择的生产方式 i 下，农户的农业劳动时间、非农劳动时间、农业劳动报酬率、非农劳动报酬率和总收入。

2.2.4　农户生产行为抉择与劳动报酬曲线的变动

农户生产行为可以通过农户劳动报酬曲线来反映，农户生产行为抉择则可通过农户劳动报酬曲线的变动来反映。

2.2.4.1　农户非农生产行为抉择

农户非农生产行为主要是指在给定的非农工资水平下，农户的非农劳动行为。农户非农生产行为的抉择主要是指农户对不同非农职业的选择。如图 2-18

所示①，农户初始状态下的非农职业为 A，待选非农职业为 B。与 A 职业对应的平均非农劳动报酬率为 r_w^1，非农劳动时间为 T_w^1，非农收入为 Y_w^1；与 B 职业对应的平均非农劳动报酬率为 r_w^2，非农劳动时间为 T_w^2，非农收入为 Y_w^2。两种非农职业在劳动时间上的差异为 ΔT_w，在收入上的差异为 ΔY_w，农户如何在职业 A 与职业 B 之间取舍取决于农户对 ΔT_w 与 ΔY_w 的综合权衡。

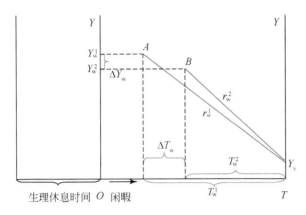

图 2-18　农户非农生产行为抉择

2.2.4.2　农户农业生产行为抉择

农户的农业生产过程与农户非农就业不同，在农户非农就业的情况下，农户付出劳动获得工资；而在农业生产过程中，农户除了付出劳动，还要投入资本与土地，农户最终所得也是农业总收入减去农业生产成本的余额。那么农户农业生产行为的抉择过程，是综合比较各种农业生产方式的产出效果与投入效果的过程。如图 2-19 上半部分所描述的情况，农户在农业生产方式 1 下：农业劳动生产率曲线为 R_1，农业生产成本曲线为 c_1，此时农户的农业产量为 Q_1，农业生产成本为 C_1，农业劳动时间为 T_f^1；农户在农业生产方式 2 下：农业劳动生产率曲线为 R_2，农业生产成本曲线为 c_2，此时农户的农业产量为 Q_2，农业生产成本为 C_2，农业劳动时间为 T_f^2。农业生产方式 2 较农业生产方式 1，农业产量的变化为 ΔQ，农业生产成本的变化为 ΔC，农业劳动时间的变化为 ΔT_f。由于农业收入变化量 ΔY_f 为

$$\Delta Y_f = \Delta Q \cdot p_f - \Delta C$$

式中，p_f 为市场给定的农产品价格，所以可以将图 2-19 上半部分，转化为下

———————

① 注意，为了表示的方便，图中用实线代替虚线来反映离散的劳动报酬曲线，接下来的图形分析中仍将如此处理。

半部分。从图2-19下半部分可以看到，两种农业生产方式在劳动时间上的差异为 ΔT_f，在收入上的差异为 ΔY_f，农户如何在农业生产方式 1 与农业生产方式 2 之间取舍同样取决于农户对 ΔT_f 与 ΔY_f 的综合权衡。

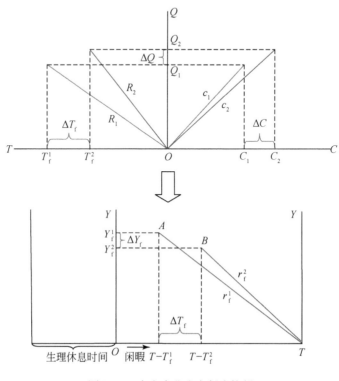

图 2-19　农户农业生产行为抉择

2.3　农户生产与消费行为模型

2.3.1　农户生产与消费行为的均衡

2.3.1.1　农户生产与消费行为模型

　　农户生产活动所获得的收入是为了满足消费需要，农户消费并获得效用是生产活动的最终目的。同时生产活动所需的劳动时间与消费活动所需的闲暇时间之间存在两难冲突，即增加劳动时间可以增加收入，但压缩了闲暇时间；增加闲暇时间又会压缩劳动时间，进而减少收入。农户消费所需的两大基本要素，收入和闲暇总是存在不能兼得之难，收入和闲暇在总的可用时间的约束下，随着劳动时间的变化而此消彼长。

农户生产行为与消费行为的相互关系：农户的消费行为是在生产收入约束下进行的，而生产行为是在消费效用最大化目标下进行的，同时消费行为所需的闲暇与生产行为所需的劳动又受农户总的可用时间的限制。简而言之，消费是目标，生产是实现消费目标的手段，同时生产与消费又要共享农户最根本的禀赋——时间。

农户的消费行为由农户的消费效用函数来描述，农户的生产行为由农户的劳动报酬曲线来描述。根据 2.1 节对农户消费效用函数的分析及 2.2 节对农户劳动报酬曲线的分析，可得到农户生产与消费行为模型如下

$$\text{Obj:}\max U^i = U(Y^i, T_c^i) = \left[a(Y^i)^\rho + (1-a)(T_c^i)^\rho\right]^{1/\rho} \qquad (0 < a, \rho < 1)$$
$$\text{s. t. } Y^i = T_f^i \cdot r_f^i + T_w^i \cdot r_w^i + Y_v, \ T_c^i = T - T_f^i - T_w^i \qquad (i \in I = \{1, \cdots, n\})$$

2.3.1.2　农户生产与消费的均衡点

在已经构建的农户生产与消费模型中，农户的生产行为决策是：在 n 种可以选择的生产方式（农业生产方式与非农职业的组合）中，选择使得消费效用最大化的生产方式。因此总是会存在 $k \in I$，使得

$$U^k(Y^k, T_c^k) = \max U^i(Y^i, T_c^i) \quad (i \in I = \{1, \cdots, n\})$$

生产方式 k 下对应的收入、闲暇点 A（Y^k，T_c^k），即是农户的生产与消费均衡点，如图 2-20 所示。

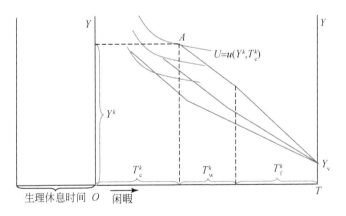

图 2-20　农户生产与消费的均衡

A（Y^k，T_c^k）是生产方式 k 下，农户劳动报酬曲线的端点，因此农户生产与消费的均衡点是角点解。从农户生产与消费行为模型的约束条件看，由于农户选定生产方式后，就相应的选定了劳动时间、收入及闲暇。农户生产方式的选择是离散的，因此农户生产与消费的均衡点一般是角点解，而不是内点解。

2.3.2 农户效用最大化下的生产抉择

农户生产方式（包括农业生产方式与非农生产方式）的改变会导致农户报酬曲线（包括农业劳动报酬曲线与非农劳动报酬曲线）的变动，如图 2-21 所示。

农户在生产方式 i 下：农业劳动时间为 T_f^i，农业劳动报酬率为 r_f^i，非农劳动时间为 T_w^i，非农劳动报酬率为 r_w^i，闲暇为 T_c^i，总收入为 Y^i。农户在生产方式 j 下：农业劳动时间为 T_f^j，农业劳动报酬率为 r_f^j，非农劳动时间为 T_w^j，非农劳动报酬率为 r_w^j，闲暇为 T_c^j，总收入为 Y^j。生产方式 j 与生产方式 i 相比，收入的变化量为 ΔY，闲暇的变化量为 ΔT_c。

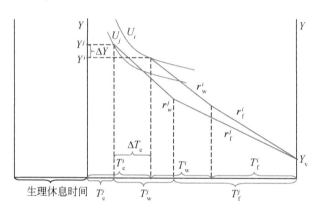

图 2-21　农户效用最大化下的生产行为抉择

农户如何在生产方式 i 与生产方式 j 之间抉择，则取决于农户效用函数对收入的变化量 ΔY 与闲暇的变化量 ΔT_c 的综合权衡。

情况之一：ΔY 与 ΔT_c 均为正，即如果选择生产方式 j，收入和闲暇均有增加，则生产方式 j 是较优的，农户会选择生产方式 j。

情况之二：ΔY 与 ΔT_c 均为负，即如果选择生产方式 j，收入和闲暇均会减少，则生产方式 j 是较劣的，农户会选择生产方式 i。

情况之三：ΔY 与 ΔT_c 一正一负，即如果选择生产方式 j，会导致收入增加而闲暇减少（或收入减少而闲暇增加），此时农户的抉择依据是收入与闲暇的替代关系。如果农户为获得 $|\Delta Y|$ 的收入增加而愿意放弃 $|\Delta T_c|$ 的闲暇（或为获得 $|\Delta T_c|$ 的闲暇增加而愿意放弃 $|\Delta Y|$ 的收入），则农户会选择生产方式 j；反之，则选择生产方式 i。

2.3.3 农户行为状态的表示方式

本章构建的农户行为模型的代数形式为

$\text{Obj}: \max U^i = U(Y^i, T_c^i) = \left[a(Y^i)^\rho + (1-a)(T_c^i)^\rho \right]^{1/\rho} (0 < a, \rho < 1)$

$\text{s. t.}: Y^i = T_f^i \cdot r_f^i + T_w^i \cdot r_w^i + Y_v, T_c^i = T - T_f^i - T_w^i (i \in I = \{1, \cdots, n\})$

可将 $(T_f^i, T_w^i, r_f^i, r_w^i)$ 视为四维向量,由于 T 与 Y_v 为给定,因此 Y^i 与 T_c^i 是向量 $(T_f^i, T_w^i, r_f^i, r_w^i)$ 的函数,进而 U^i 也是向量 $(T_f^i, T_w^i, r_f^i, r_w^i)$ 的函数。

农户在生产方式 i 下的生产行为状态可表示为 $(T_f^i, T_w^i, r_f^i, r_w^i; Y_f^i, Y^i)$,即农户在生产方式 i 下的农业劳动时间为 T_f^i,非农劳动时间为 T_w^i,农业劳动报酬率为 r_f^i,非农劳动报酬率为 r_w^i,农业收入为 Y_f^i,总收入为 Y^i。

农户在生产方式 i 下的消费行为状态可表示为:$(Y^i, T_c^i; U^i)$,即农户在生产方式 i 下的总收入为 Y^i,闲暇时间为 T_c^i,获得的效用为 U^i。

农户在生产方式 i 下的生产与消费行为状态可表示为:$(T_f^i, T_w^i, r_f^i, r_w^i; Y^i, T_c^i, U^i)$,即农户在生产方式 i 下的农业劳动时间为 T_f^i,非农劳动时间为 T_w^i,农业劳动报酬率为 r_f^i,非农劳动报酬率为 r_w^i,总收入为 Y^i,闲暇时间为 T_c^i,获得的效用为 U^i。

2.4 本章小结

(1) 2.1 节内容小结

2.1 节对农户消费行为进行了分析,认为农户作为一个消费行为单位,其行为目标是追求消费效用最大化。其主要内容如下:

第一,在综合新古典消费理论、新家庭经济学以及现有农户行为理论的基础上,将收入和闲暇设定为农户消费的两个基本要素。

第二,根据当前我国农户的闲暇需求特征(劳动供给特征),推导出我国农户的消费效用函数形式为替代弹性大于 1 的 CES 效用函数。农户效用函数形式如下

$$U = \left[aY^\rho + (1-a)T_c^\rho \right]^{1/\rho} \quad (0 < a, \rho < 1)$$

第三,对农户效用函数各参数的经济含义进行了阐述。参数 a 反映的是农户对收入 Y 与闲暇 T_c 的相对偏好程度;a 越大,农户越偏好于收入 Y。参数 ρ 反映的是农户对两种消费品的替代弹性;参数 ρ 越大,替代弹性 σ 越大,农户时间配置(闲暇的需求与劳动的供给)对劳动报酬率 r 的变动越敏感。

第四，对农户消费行为的均衡解进行了初步讨论，认为农户消费行为的均衡解可能是角点解而不是内点解。

（2）2.2节内容小结

2.2节对农户生产行为进行了分析。其主要内容如下：

第一，对农户收入进行了分析。农户收入包括农业收入、非农收入和其他收入。农户的农业收入与非农收入属于劳动收入，其他收入属于非劳动收入。现阶段我国农户的其他收入占总收入比重较小，并假设农户的其他收入为外生给定。

第二，采用劳动报酬曲线来描述农户的生产行为。劳动报酬是指农户生产中，农户所得毛收入扣除生产中的各种成本花费，所剩的可用于消费的净收入。劳动报酬曲线的斜率代表农户的劳动报酬率。

第三，通过对农户农业生产与非农生产特征的分析，设定了农户劳动报酬曲线的具体形式，认为农户劳动报酬曲线是非连续的，其形式如下

$$Y^i = T^i_f \cdot r^i_f + T^i_w \cdot r^i_w + Y_v (i \in I = \{1, \cdots, n\})$$

第四，分析了农户生产行为变动的效果。农户生产行为变动的最终效果可归结于两方面的变化：农户劳动时间的变化和农户收入的变化，农户劳动报酬曲线随着农户生产行为变动而变化。

（3）2.3节内容小结

2.3节对农户生产行为与消费行为的均衡进行了分析。其主要内容如下：

第一，分析了农户消费行为与生产行为之间的关系。农户的消费行为是在生产收入约束下进行的，而生产行为是在消费效用最大化目标下进行的，同时消费行为所需的闲暇与生产行为所需的劳动又受农户总可用时间的限制。简而言之，消费是目标，生产是实现消费目标的手段，同时生产与消费又要共享农户最根本的禀赋——时间。

第二，构建了农户生产与消费行为模型。农户行为的最终目标是追求消费效用最大化，约束条件是农户生产环境及农户总的可用时间。农户行为模型的代数形式如下

$$\text{Obj} : \max U^i = U(Y^i, T^i_c) = \left[a(Y^i)^\rho + (1-a)(T^i_c)^\rho \right]^{1/\rho} (0 < a, \rho < 1)$$

$$\text{s. t.} : Y^i = T^i_f \cdot r^i_f + T^i_w \cdot r^i_w + Y_v, T^i_c = T - T^i_f - T^i_w (i \in I = \{1, \cdots, n\})$$

第三，分析了农户在效用最大化下的生产抉择过程。农户在消费效用最大目标下，生产决策过程是综合权衡生产行为的变动带来的收入的变化量 ΔY 与闲暇的变化量 ΔT_c 的过程。如果 ΔY 与 ΔT_c 使得农户效用增加，则选择新的生产方式是较优的；如果 ΔY 与 ΔT_c 使得农户效用减少，则保持原有生产方式是较优的；如果 ΔY 与 ΔT_c 使得农户效用不变，则两种生产方式无差异。

第四，分析了农户行为状态的表示方法。农户在生产方式 i 下的生产与消费行为状态可表示为：（$T_\mathrm{f}^i, T_\mathrm{w}^i, r_\mathrm{f}^i, r_\mathrm{w}^i; Y^i, T_\mathrm{c}^i, U^i$）。在这一经济行为状态下，农户的农业劳动时间为 T_f^i，非农劳动时间为 T_w^i，农业劳动报酬率为 r_f^i，非农劳动报酬率为 r_w^i，总收入为 Y^i，闲暇时间为 T_c^i，获得的效用为 U^i。

3 农户使用农机行为的一般分析

农户使用农机行为包含了农户是否使用农机及以何种方式使用农机。农户是否使用农机的抉择，可视为农户对两种生产方式（使用农机的生产方式与不使用农机的生产方式）的抉择。根据第2章提出的农户行为模型，农户对两种生产方式的抉择过程是：通过分析两种生产方式下的农户劳动报酬曲线的变动，根据效用最大化原则选择能带来更大消费效用的生产方式。基于这样的分析思路，本章的具体研究内容安排如下：3.1节分析农户使用农机对农户生产的影响及导致的劳动报酬曲线的变动情况；3.2节分析农户如何根据效用最大化原则对是否使用农机进行抉择；3.3节分析农户使用农机行为的影响因素；3.4节分析如果农户使用农机，农户将以何种方式进行使用，是租用还是购买使用。

3.1 农户使用农机对农户生产的影响

3.1.1 农户使用农机对农业生产的影响

一般来说，农机在农业生产中可能发挥四个方面的作用：

1）提高劳动生产率，减少农业劳动时间。农机作业动力大、作业速度快，可以极大地提高劳动生产率，从而减少单位面积的农业劳动时间。

2）降低农业生产风险。农业生产的风险主要来自于两方面：一是自然灾害带来的减产风险；二是农业生产季节性导致的农事安排不及时带来的减产风险。农机作业的效率高，可以及时地完成各项农业作业，从而保证可贵的农时而获得增产效果。同时使用各种机械及时进行抗旱、排涝、防治病虫害等，可以有效地抵御自然灾害，减少损失，达到稳产目的。降低农业生产风险，实际上就是提高了农业生产的期望产量。

3）提高单位面积产量。采用农机进行深耕、深松、精粮播种、精确施肥、精确喷药、喷灌和滴灌等作业，可以实现人力和畜力无法达到的增产效果

（何雄奎和刘亚佳，2006）。

4）减少农业生产成本。农机作为一种生产要素，可对劳动产生明显的替代作用。对于有雇佣劳动的农户，农机使用的费用可能低于农机能替代的雇佣劳动的费用，这时农机的使用可以减少生产成本。

农机的使用也可能给农业生产带来一些负面的影响：

1）增加农业生产成本。对于无雇佣劳动的农户，使用农机往往意味着生产支出的增加，此时农机的使用会增加农业生产成本。

2）降低单位面积产量。由于农机质量的不过关、农机手的操作生疏及地形状况的限制，均可能导致使用农机不但不能提高农业产量，甚至会降低农业产量。

综合使用农机对农业生产的正、负两方面的影响，可以总结出农户使用农机对农业生产的影响：一是影响农户的农业劳动时间；二是影响农户农业产量；三是影响农户农业生产成本。

图 3-1 的上半部分描述了农户使用农机对农业生产的三种影响。使用农机前农户的农业劳动生产率曲线为 R_1，农业生产成本曲线为 c_1，此时农业产量

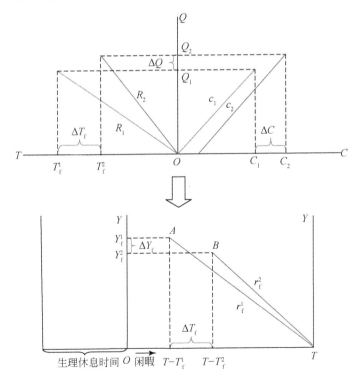

图 3-1　农户使用农机前后的农业劳动报酬曲线

为 Q_1，农业生产成本为 C_1，农业劳动时间为 T_f^1；使用农机后农户的农业劳动生产率曲线为 R_2，农业生产成本曲线为 c_2，此时农户的农业产量为 Q_2，农业生产成本为 C_2，农业劳动时间为 T_f^2。农户使用农机前后，农业产量的变化为 ΔQ，农业生产成本的变化为 ΔC，农业劳动时间的变化为 ΔT_f。

根据公式 $\Delta Y_f = \Delta Q \cdot p_f - \Delta C$，其中 p_f 为市场给定的农产品价格，可以得到农户使用农机前后劳动报酬曲线的变化情况，如图 3-1 的下半部分。农户使用农机前的农业劳动报酬率为 r_f^1，使用农机后的农业劳动报酬率为 r_f^2。农户使用农机前后的收入变化量为 ΔY_f，农业劳动时间的变化量为 ΔT_f。

3.1.1.1 使用农机对农业劳动时间的影响

提高劳动生产率、减少农业劳动时间是农机最基本的功能，也是农户使用农机最基本的要求。使用农机能减少农业劳动时间，一般是毋庸置疑的。而使用农机能在多大程度上减少农业劳动时间，则主要取决于以下几个因素：

1）农机质量的优劣程度。农机质量越好，农机产品与种植农艺越配套，农机的作业效率就会越高；反之则反。当前我国农机制造业取得了长足发展，已经成为了一个农机制造大国，但还不是农机制造强国，国产的农机产品比欧美发达国家制造的农机产品，在质量及性能上还有较大差距。

2）农机操作员的素质高低。农机操作员的素质越高，对农机掌握的越熟练，农机的作业效率也会越高，节省的农业劳动时间也就越多。因此，高素质的农机操作员队伍对农机化推广十分重要。

3）农机作业环境。农机作业环境主要是指农机的作业对象——耕地及耕地上的作物。耕地形状越规整，作物的种植农艺与农机越匹配，农机作业就越顺畅，也就能节省更多的农业劳动时间。为了适应农业机械化的要求，主要发达国家都进行过大规模的土地整理，将零星的耕地归并成更适宜机械耕作的大块土地。我国自 2000 年以来，也开始了大规模的土地整理事业，这将为推进我国农机化步伐打下良好的基础。

3.1.1.2 使用农机对农业收入的影响

农户使用农机对农业收入的影响途径主要有两条：影响农业产量及影响农业生产成本。一般来说，使用农机对农业产量及农业生产成本的影响方向及程度都是不定的。就农业产量而言，随着农机的改进，使用农机导致的农业产量的减少将越来越少，或者说使用农机带来的农业产量的增加将越来越多。因此，随着农机化的推进，使用农机对增加农业产量是越来越有利的。而使用农机对农业生产成本的影响，一方面受农机使用本身成本的影响，一方面又受使用农机所替代的雇佣劳动（及其他替代要素）价值的影响。计算出农户使用农机后产量的变化量 ΔQ 以及农户使用农机后农业生产成本的变化量 ΔC 后，可根据公式 $\Delta Y_f = \Delta Q \cdot p_f - \Delta C$ 计算出农户使用农机后农业收入的变化量。

（1）使用农机对农业产量的影响

农户使用农机前后农业产量变化量 ΔQ 的影响因素主要有：①农机产品质量及其与种植农艺的配套程度；②农机作业人员素质高低；③农机的作业环境。

图3-2描述了农户使用农机后农业产量的可能变化情况。当农户土地面积一定时，设定不使用农机时的农业劳动时间为 T_f^1，相应的劳动生产率为 R_0，农业产量为 Q_0。使用农机后的农业劳动时间缩短为 T_f^2，劳动生产率较 R_0 提高，所以使用机械后的劳动生产率曲线位于原劳动生产率曲线的上方。使用农机后农业产量变化可能有三种情况：一是使用农机后单产不变，使用农机的效果主要是节省劳动时间，此时对应的劳动生产率为 R_2，农业产量仍为 Q_2（$Q_2 = Q_0$）；二是使用农机后单产提高，使用农机兼有省时和增产的效果，此时对应的劳动生产率为 R_3，农业产量为 Q_3（$Q_3 > Q_0$）；三是使用农机后单产降低，使用农机省时的同时会减产，此时对应的劳动生产率为 R_1，农业产量为 Q_1（$Q_1 < Q_0$）。

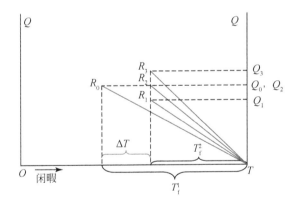

图3-2　农户使用农机对农业产量的影响

（2）使用农机对农业生产成本的影响

要弄清使用农机前后农业生产成本的变化，不能仅局限于对使用农机成本本身的研究，而应把使用农机成本纳入到总的生产成本体系中去考虑。因为农机作为一种生产要素，与其他生产要素之间存在紧密的替代关系，农机的使用会影响其他生产要素使用的成本。而农户最终关注的也是使用农机后，农业生产总成本的变化情况。

1）农机使用成本。农机使用成本可分为固定成本 C_{fix} 与可变成本 C_{var}。固定成本是指无论农机是否使用，都必须发生的费用。固定成本一般按年计算，包括：年折旧费 C_{depre}、购买农机的资本年利息 C_{inte}、农机年保险费 C_{insu} 和年维修养护费 C_{main} 等。可变成本是指在农机使用过程中发生的费用，一般按单位耕作面积计算，包括：每公顷人工费 C_{labor}、每公顷燃油费 C_{fuel}、每公顷田间的转移费 C_{trans} 等。

单位面积耕地使用农机的成本 C_{hec} 为

$$C_{hec} = \frac{C_{fix}}{A} + C_{var} = \frac{C_{depre} + C_{inte} + C_{insu} + C_{main}}{A} + C_{labor} + C_{fuel} + C_{trans}$$

式中，A 为农机在一年内耕作的土地面积。在一年的周期中，农机服务的土地面积越大，单位土地面积农机使用成本越小。

年折旧费 C_{depre} 取决于农机设计使用寿命 n、农机购置费用 C_{purch}。其中，农机购置费用等于农机购置原价 C_{orig} 减去农机购置相关补贴 S。农机购置费用越低，农机设计使用寿命越长，年折旧费就越低。若采用直线折旧法计算，则

$$C_{depre} = \frac{C_{purch}}{n} = \frac{C_{orig} - S}{n}$$

购买农机的资本年利息 C_{inte} 取决于农机购置费用 C_{purch}、农机购买贷款年利率 r_{capi}。C_{inte} 可用如下等式表示

$$C_{inte} = C_{purch} \times r_{capi} = C_{purch} \times r_{bench} \times (1 - d)$$

式中，$r_{capi} = r_{bench} \times (1 - d)$，$r_{bench}$ 为贷款年基准利率；d 为贷款利率优惠比例。

农机年保险费 C_{insu} 取决于农机类型、保险费率和保费补贴。

年维修养护费 C_{main} 取决于农机本身质量与农机企业售后服务质量。

每公顷人工费 C_{labor} 取决于农机操作难度及每公顷农机作业耗时长度。

每公顷燃油费 C_{fuel} 取决于农机每公顷耗油量和油价，每公顷耗油量与农机性能、农机作业环境有关，油价等于市场价与油价补贴之差。

每公顷农机转移费 C_{trans} 包括区域转移费与田间转移费。

2）农机使用对其他要素成本的影响。农业生产过程是各类生产要素的综合投入过程，一种生产要素投入的变动，可能引起其他生产要素的协同变动。农机的使用最可能是导致劳动投入的减少，对于雇佣劳动的农户，农机的使用往往伴随着雇佣劳动成本的减少。另外，机械的使用还有可能引起化肥、农药、种子等生产要素的协同变动。如在同样的耕作效果下，某些施肥机械可能比手工更节省（或耗费）肥料，某些喷洒农业机械可能比手工更节省（或耗费）农药，某些播种机械可能比手工更节省（或耗费）种子，等等。

3）农机使用前后农业生产成本的变化。农机使用前后农户农业生产成本的变化量 ΔC，等于农户使用农机成本 ΔC_m 加上使用农机后其他要素成本的变化量 ΔC_e。

如果农户使用农机的耕地面积为 S，则农户使用农机成本为

$$\Delta C_m = S \cdot C_{hec}$$

如果农户使用农机后其他要素 e_i 投入的变化量为 Δe_i，其他要素 e_i 的市场价格为 w_i，则农户使用农机后其他要素成本的变化量为

$$\Delta C_e = \sum \Delta e_i \cdot w_i$$

因此，农户使用农机后，农业生产成本的变化量为

$$\Delta C = \Delta C_m + \Delta C_e = S \cdot C_{hec} + \sum \Delta e_i \cdot w_i$$

3.1.2 农户使用农机对非农生产的影响

农户使用农机行为本身不会对农户非农就业产生直接影响，其影响途径是通过使用农机节省农业劳动时间，将农户从农业劳动中"解放"出来，以便更好地寻求非农职业。

不只是闲暇与劳动时间存在两难冲突，农户的农业劳动时间与非农劳动时间也往往出现两难冲突。非农职业对劳动时间要求比较严格，往往要求劳动者能全职投入，而农业生产中特别是农忙季节，对劳动投入量要求也很高。如果两种劳动无法合理在时间上错开，农户就不得不放弃农业生产或非农就业，而选其一。农机的使用可以大量节省农业劳动时间，特别是在播种、收获等农忙季节，因此农机的使用可以缓解农户在农业劳动时间与非农劳动时间投入上的两难冲突。

农户使用农机的这一特殊作用，在东部沿海等乡镇企业较发达的地区体现得尤为明显。东部沿海乡镇企业较发达地区的农户往往能够就地寻求非农职业，比起"离土离乡"的中西部地区的农民工，其更有可能兼顾农业生产与非农职业。在乡村调查中见到的景象也确实如此：太湖平原农户的主要劳动力基本是白天在工厂做工，清晨和傍晚进行农业生产，播种和收获等劳动投入集中的生产环节基本上采用机械作业。

3.1.3 农户使用农机对劳动报酬曲线的影响

前面分析了农户使用农机对农业生产与非农就业的影响。农户使用农机对

农业生产的影响可以归结为减少农业劳动生产时间，改变（增加或者减少）农户农业收入；农户使用农机对非农职业的影响主要是可能增加农户的非农劳动时间，而对农户非农劳动报酬率影响不大。这些可以通过农户劳动报酬曲线的变动来反映，如图3-3所示。

图3-3中农户不使用农机时的生产状态为（$T_f^1, T_w^1, r_f^1, r_w; Y_f^1, Y^1$），农户使用农机后的生产状态为（$T_f^2, T_w^2, r_f^2, r_w; Y_f^2, Y^2$）。农户使用农机前后农业劳动时间变化量为$\Delta T_f$（$\Delta T_f = T_f^2 - T_f^1$），农业收入变化量为$\Delta Y_f$（$\Delta Y_f = Y_f^2 - Y_f^1$），非农劳动时间变化量为$\Delta T_w$（$\Delta T_w = T_w^2 - T_w^1$，图中未能标出），总的收入变化量为$\Delta Y$（$\Delta Y = Y^2 - Y^1$），闲暇变化量为$\Delta T_c$（$\Delta T_c = T_c^2 - T_c^1$）。

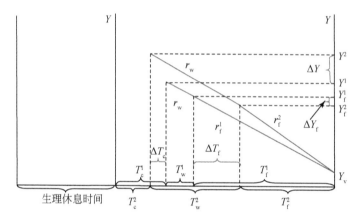

图3-3　农户使用农机前后劳动报酬曲线的变化

3.2　农户是否使用农机的行为逻辑

3.2.1　农户使用农机行为模型

农户使用农机的一个明显好处是提高农业劳动生产率、减少农业劳动时间。如果使用农机同时还能显著提高劳动报酬率，以至使用农机后的农业收入比使用前有所提高，那么使用农机就是一件在经济上两全其美的事情，此时农户使用农机的决策无疑是明智的；或者农户使用农机后，导致农户生产的种种变化，最终使得农户总劳动时间减少、总收入增加，那么农户使用农机的决策也无疑是明智的。

如果使用农机不能显著提高农业劳动报酬率，甚至降低农业劳动报酬率，进而使得使用农机后的农业收入比使用前有所降低；或者农户使用农机后，导致农户生产的种种变化，最终并不能同时提高闲暇时间和总收入，那么农户在使用农机决策中就存在一对两难冲突：农户使用农机前后，或者降低总收入，增加闲暇；或者提高总收入，减少闲暇。增加闲暇与提高总收入二者不可兼得。

总的来讲，农户对使用农机两难冲突的取舍，取决于由此引起的农户消费效用状况的变化情况。如果农户使用农机后，闲暇的增加带来的效用增加量大于收入的减少带来的效用减少量；或者闲暇的减少带来的效用减少量小于收入的增加带来的效用增加量，则选择使用农机更明智；反之，则选择不使用农机更明智。

在图 3-3 中分析了农户使用农机前后劳动报酬曲线的变化情况，在图 3-3 中加入农户的消费效用函数曲线，便可得到农户使用农机前后农户的生产与消费状况，如图 3-4 所示。在使用农机前的生产方式 1 下，农户能获得的最大消费效用为 U_1；在使用农机后的生产方式 2 下，农户能获得的最大消费效用为 U_2。在图 3-4 描述的情况中，$U_2 > U_1$，即农户使用农机后的消费效用大于使用农机前的消费效用，因此农户使用农机是更优选择。

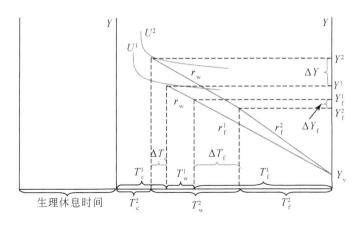

图 3-4　农户使用农机行为模型

农户使用农机行为模型是农户行为模型的一个具体例子，农户使用农机行为模型的代数形式为

$$\mathrm{Obj:max}U^i = U(Y^i, T_c^i) = \left[a(Y^i)^\rho + (1-a)(T_c^i)^\rho \right]^{1/\rho} \qquad (0 < a, \rho < 1)$$

$$\mathrm{s.t.:} \ Y^i = T_f^i \cdot r_f^i + T_w^i \cdot r_w^i + Y_v, \ T_c^i = T - T_f^i - T_w^i \qquad (i \in I = \{1,2\})$$

与一般化的农户行为模型不同：在农户使用农机行为模型中，农户生产方式的选择集 I 只有两个元素 1、2，即农户不使用农机时的生产方式 1 与农户使用农机时的生产方式 2。农户效用最大化过程是对两种生产方式下农户消费效

用水平的比较过程。

3.2.2 农户使用农机行为的临界点

农户使用农机行为的临界点，是指这样一种状态：在这一状态下，农户使用农机与不使用农机无差异，即使用农机后的效用水平等于使用农机前的效用水平。

图 3-5 对农户使用农机行为的临界状态进行了描述。图中农户不使用农机时的生产与消费状态为（$T_f^1, T_w^1, r_f^1, r_w; Y^1, T_c^1, U^1$）。设农户使用农机后农业劳动时间变为 T_f^2，非农劳动时间变为 T_w^2，闲暇时间变为 T_c^2。为了达到不使用农机时的效用水平 U^1，农户使用农机后的农业劳动报酬率不能低于 r_f^2，对应的收入为 Y^2，农业收入为 Y_f^2。Y_f^2 是农户使用农机而能接受的农业收入水平的最低值，即农户使用农机而能接受的农业收入减少量最多为 $-\Delta Y_f^*$（$\Delta Y_f^* = Y_f^2 - Y_f^1$）。如果农户使用农机后的农业劳动报酬率大于 r_f^2，农户获得的效用水平就会高于 U^1。

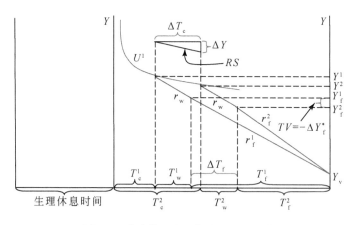

图 3-5　农户使用农机行为的临界状态

根据以上分析，设定农户使用农机前的状态（$T_f^1, T_w^1, r_f^1, r_w; Y^1, T_c^1, U^1$），农户使用农机后的农业劳动时间 T_f^2、非农劳动时间 T_w^2 时，从农户农业收入变化的角度看，农户是否使用农机的临界点就是农户使用农机后农业收入减少量等于 $-\Delta Y_f^*$ 的时刻。如果农户使用农机后实际农业收入减少量小于 $-\Delta Y_f^*$，则使用农机为较优选择；如果农户使用农机后实际农业收入减少量大于 $-\Delta Y_f^*$，则不使用农机为较优选择。因此，$-\Delta Y_f^*$ 反映了农户使用农机后对农业收入减少量的容忍值 TV（tolerance value，TV $= -Y_f^*$）。TV 越大，农户使用农机能容忍的农业收入减少量越大，从而农户使用农机的概率越大。下面将推导容忍值

TV 的表达式。

农户效用函数为

$$U^i = \left[a(Y^i)^\rho + (1-a)(T^i_c)^\rho \right]^{1/\rho} \quad (0 < a, \rho < 1)$$

农户劳动报酬曲线为

$$Y^i = T^i_f \cdot r^i_f + T^i_w \cdot r^i_w + Y_v, (i \in I = \{1,2\})$$

令

$$\Delta T_c \equiv T^2_c - T^1_c, \Delta T_f \equiv T^2_f - T^1_f, \Delta T_w \equiv T^2_w - T^1_w,$$

$$\Delta Y \equiv Y_2 - Y_1, \Delta Y^*_f \equiv Y^2_f - Y^1_f, \Delta Y_w \equiv Y^2_w - Y^1_w$$

则

$$\Delta T_c + \Delta T_f + \Delta T_w = 0, \Delta Y^*_f = \Delta Y - \Delta Y_w$$

$$\therefore TV = -\Delta Y^*_f = -\Delta Y + \Delta Y_w (\Delta Y_w = \Delta T_w \cdot r_w)$$

另外，根据图 3-5 中描述，RS 反映了在保持效用水平不变的情况下，闲暇与收入的替代率（substitution rate），$RS = -\dfrac{\Delta Y}{\Delta T_c}$（RS > 0）。即在农户的效用函数中，闲暇增加（或减少）ΔT_c 与收入减少（或增加）ΔY，农户的效用水平不变。即 $|\Delta T_c|$ 数量闲暇在农户心理的价值量，等同于 $|\Delta Y|$ 数量的收入在农户心理的价值量，而 RS 反映的就是农户心理劳动报酬率。

由于 $-\Delta Y = RS \cdot \Delta T_c$，于是可得到 TV 的另一种表达方式，即

$$TV = RS \cdot \Delta T_c + \Delta Y_w = RS \cdot (-\Delta T_f - \Delta T_w) + \Delta T_w \cdot r_w$$

3.3　农户是否使用农机的影响因素分析

根据以上分析，农户是否使用农机取决于使用农机后实际农业收入变化量 ΔY_f 与农户心理容忍值 TV 的比较：如果 $-\Delta Y_f > TV$，则农户不使用农机为较优选择；如果 $-\Delta Y_f < TV$，则农户使用农机为较优选择。下面将具体分析 ΔY_f 与 TV 的影响因素，进而得出农户使用农机行为的影响因素。

3.3.1　农户容忍值的影响因素

3.3.1.1　农户容忍值影响因素的代数推导

在容忍值 TV 的表达式 $TV = RS \cdot (-\Delta T_f - \Delta T_w) + \Delta T_w \cdot r_w$ 中，①ΔT_w 与 r_w 反映了农户非农就业环境的优劣。ΔT_w 代表农户使用农机后，由于农业劳动时间缩短，而增加的非农劳动时间。由于非农就业机会的限制，农户缩短

农业劳动时间，并不一定能增加非农劳动时间。非农就业环境越好的农户，其获得更多非农劳动时间的可能性越大。r_w 代表农户非农劳动报酬率，r_w 越高说明农户非农就业环境越好。②ΔT_f 反映了使用农机后节省农业劳动的效果。农户使用农机后引起的农业劳动时间的减少量 ΔT_f 越大，说明农户使用农机的"省工"效果越好。③RS 直接反映的是农户心理劳动报酬率大小，间接反映的是农户的经济状况。农户的经济状况越好，农户心理劳动报酬率 RS 往往越高，农户对闲暇就相对越重视，使用农机的"省工"效果对农户的吸引力就越大。下面就从这三个方面分析农户使用农机行为的影响因素。

（1）农户非农就业环境的影响

容忍值 TV 的表达式 $TV = RS \cdot (-\Delta T_f - \Delta T_w) + \Delta T_w \cdot r_w$ 可变换成

$$TV = -\Delta T_f \cdot RS + \Delta T_w (r_w - RS)$$

一般来说，农户使用农机后，农业劳动时间减少，非农劳动时间不变或增加，因此有 $\Delta T_w \geq 0$，因此 r_w 与 TV 呈正相关。

当 $r_w > RS$ 时，ΔT_w 与 TV 呈正相关；当 $r_w < RS$ 时，ΔT_w 与 TV 呈负相关。RS 反映的是农户心理劳动报酬率。从一般农民愿意从事非农职业的现象可知，非农市场工资高于一般农户的心理劳动报酬，即 $r_w > RS$。因此，ΔT_w 也与 TV 呈正相关。

以上分析说明：农户使用农机后非农时间增加越多、非农工资率越高，农户使用农机的容忍值 TV 越大。

（2）农户使用农机效果的影响

在容忍值 TV 的表达式 $TV = RS \cdot (-\Delta T_f - \Delta T_w) + \Delta T_w \cdot r_w$ 中，$RS > 0$，因此 ΔT_f 与 TV 呈负相关。即农户使用农机后农业劳动时间减少量越多，农户使用农机的容忍值 TV 越大。

（3）农户心理劳动报酬率的影响

在容忍值 TV 的表达式 $TV = RS \cdot \Delta T_c + \Delta T_w \cdot r_w$ 中，如果 $\Delta T_c > 0$，则 RS 与 TV 呈正相关；如果 $\Delta T_c < 0$，则 RS 与 TV 呈负相关。

农户心理劳动报酬率 RS，笼统地说，主要取决于农户自身经济状况；具体来讲，则受多方面因素影响，如农户效用函数特征（由参数 a、ρ 的大小来反映）、农户决策前的初始收入 Y^1 及初始闲暇 T_c^1，均对 RS 有重要影响。

1）效用函数参数 a 与 RS 的关系。在农户效用函数曲线中，替代率 RS 与 ΔT_c（$\Delta T_c = T_c^2 - T_c^1$）的乘积，等于边际替代率 $MRS_{T_c Y}$ 在区间（T_c^1，T_c^2）上的积分，即

$$RS \cdot \Delta T_c = \int_{T_c^1}^{T_c^2} MRS_{T_c Y} \cdot dT_c$$

$$\because \text{MRS}_{T_c Y} = -\frac{dY}{dT_c} = \frac{u / \partial T_c}{\partial u / \partial Y} = \frac{1-a}{a}\left(\frac{Y}{T_c}\right)^{1-\rho}$$

$$\therefore \text{RS} \cdot \Delta T_c = \int_{T_c^1}^{T_c^2} \frac{1-a}{a}\left(\frac{Y}{T_c}\right)^{1-\rho} \cdot dT_c$$

$$\therefore \text{RS} = \frac{\int_{T_c^1}^{T_c^2} \frac{1-a}{a}\left(\frac{Y}{T_c}\right)^{1-\rho} \cdot dT_c}{\Delta T_c}$$

由于 $T_c^2 = T_c^1 + \Delta T_c$, 所以无论 $\Delta T_c > 0$ 还是 $\Delta T_c < 0$, $\text{MRS}_{T_c Y}$ 与 RS 呈正相关。从方程式 $\text{MRS}_{T_c Y} = \frac{1-a}{a}\left(\frac{Y}{T_c}\right)^{1-\rho}$ 中可以看出, a 与 $\text{MRS}_{T_c Y}$ 呈反相关, 从而 a 与 RS 也呈反相关。从经济学意义上分析, a 代表了农户对收入的相对偏好程度, a 越大, 说明农户对收入的相对偏好程度越大, 其心理劳动报酬率越低。

2) 效用函数参数 ρ 与 RS 的关系。从方程式 $\text{MRS}_{T_c Y} = \frac{1-a}{a}\left(\frac{Y}{T_c}\right)^{1-\rho}$ 中可以看出: 当 $\frac{Y}{T_c} > 1$ 时, ρ 与 $\text{MRS}_{T_c Y}$ 的关系呈反相关, 从而 ρ 与 RS 也呈反相关; 当 $\frac{Y}{T_c} < 1$ 时, ρ 与 $\text{MRS}_{T_c Y}$ 的关系呈正相关, 从而 ρ 与 RS 亦呈正相关。从经济学意义上分析, ρ 反映了收入与闲暇的替代弹性。参数 ρ 越大, 替代弹性 σ 越大, 效用无差异曲线越平缓, 农户时间配置对劳动报酬率 r 的变动越敏感。

3) 初始收入 Y^1 及初始闲暇 T_c^1 与 RS 的关系。农户效用函数曲线是凸向原点的曲线, 因此消费要素呈现出边际效用递减的规律。当初始收入 Y^1 较高而初始闲暇 T_c^1 较少时, 收入的边际效用较小, 而闲暇的边际效用较大, 此时农户心理劳动报酬率 RS 就较大; 当初始收入 Y^1 较低而初始闲暇 T_c^1 较多时, 收入的边际效用较大, 而闲暇的边际效用较小, 此时农户心理劳动报酬率 RS 就较低。

3.3.1.2 农户容忍值影响因素的图形分析

(1) 效用函数特征对农户使用农机行为的影响

设农户使用农机导致的农业劳动时间减少量 ΔT_f 以及农户使用农机后非农劳动时间变化量 ΔT_w 为给定, 则农户效用函数特征对容忍值 TV 的影响可通过农户使用农机行为模型的图形分析得到。

根据效应函数参数经济含义的分析可知: 参数 a 反映的是农户对收入 Y 与闲暇 T_c 的相对偏好程度。a 越大, 农户越相对偏好于收入 Y。一般来讲, 经济条件较差的农户比经济条件较好的农户更相对偏好于收入 Y, 因此其效用函数

的参数 a 也相对较大。而随着参数 α 的增加,农户效用函数曲线趋向平缓。如图 3-6 所示,效用函数曲线 U^2 比 U^1 平缓,曲线 U^2 对应的参数 a 较大,曲线 U^1 对应的参数 a 较小。也可以说,与 U^1 型效用函数曲线下的农户相比,U^2 型曲线下的农户更偏好于收入。由图可知:U^1 效用函数下的农户使用农机而能接受的收入减少量的容忍值为 TV_1,U^2 型效用函数下的农户使用农机而能接受的收入减少量的容忍值为 TV_2,$\mathrm{TV}_1 > \mathrm{TV}_2$。这说明 U^1 型效用函数下农户对使用农机后农业收入减少的容忍值比 U^2 型效用函数下的农户要大。

从图形中分析,效用函数的差异会导致容忍值的差异,是因为在 ΔT_c 时间段内,U^1 型效用函数下农户的收入闲暇替代率大于 U^2 型效用函数下的农户,即 $\mathrm{RS}_1 > \mathrm{RS}_2$($\mathrm{RS} = -\Delta Y/\Delta T_c$)。进而在保持效用水平不变的情况下,闲暇增加量 ΔT_c 能替代的收入减少量有:$-\Delta Y^1 > -\Delta Y^2$,即 $\mathrm{TV}_1 > \mathrm{TV}_2$。

图形分析与代数推导的结论是一致的:农户使用农机后农业收入减少量的容忍值 TV,受农户效用函数特征的影响。在其他条件相同时,收入在农户消费效用中相对重要性越小,农户的容忍值 TV 就越大。更偏好闲暇消费的农户比更偏好收入消费的农户更能容忍使用农机后的收入减少,在相同的条件下,其更愿意使用农机。

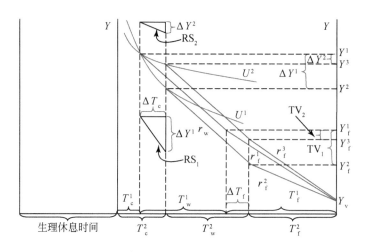

图 3-6　不同效用函数特征下的农户使用农机行为

(2)非农就业环境对农户使用农机行为的影响

设农户使用农机导致的农业劳动时间减少量 ΔT_f 及农户效用函数 U 为给定,则农户非农就业环境对容忍值 TV 的影响也可通过农户使用农机行为模型的图形分析得到。

图 3-7 描述了不同非农就业环境下农户使用农机的临界状态。农户在使用

农机之前的生产与消费状态为 $(T_{\mathrm{f}}^1, T_{\mathrm{w}}^1, r_{\mathrm{f}}^1, r_{\mathrm{w}}; Y^1, T_{\mathrm{c}}^1, U^1)$。如果农户使用农机后，非农劳动时间变化不大，则农户使用农机的临界状态为 $(T_{\mathrm{f}}^2, T_{\mathrm{w}}^2, r_{\mathrm{f}}^2, r_{\mathrm{w}}; Y^2, T_{\mathrm{c}}^2, U^1)$，此时农户使用农机对农业收入减少量的容忍值为 TV_1。如果农户使用农机后，非农劳动时间有较大增加，则农户使用农机的临界状态为 $(T_{\mathrm{f}}^3, T_{\mathrm{w}}^3, r_{\mathrm{f}}^3, r_{\mathrm{w}}; Y^3, T_{\mathrm{c}}^3, U^1)$，此时农户使用农机对农业收入减少量的容忍值为 TV_2。农户使用农机后可以获得更多非农就业机会时的容忍值 TV_2，明显大于农户使用农机后不能获得更多非农就业机会时的容忍值 TV_1。

图形分析与代数推导的结论是一致的：农户非农就业环境对农户使用农机行为有重要影响，农户使用农机后如果可以获得更多非农就业机会，则农户使用农机的容忍值就较大。因此改善农户非农就业环境可以推进我国农业机械化进程。

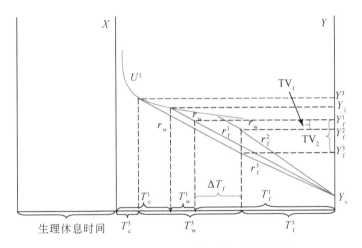

图 3-7　农户非农就业环境对农机使用的影响

3.3.2　实际农业收入变化量的影响因素

农户使用农机前后农业收入变化量 ΔY_{f} 的大小，主要受农业产量变化量 ΔQ 与农业生产成本变化量 ΔC 及农产品价格 p_{f} 的影响，$\Delta Y_{\mathrm{f}} = \Delta Q \cdot p_{\mathrm{f}} - \Delta C$。这在 3.1.1.2 节中已作了详细分析。

（1）农业产量变化量 ΔQ

农业产量变化量 ΔQ 的影响因素主要包括：农机产品质量及其与种植农艺的配套程度、农机作业人员素质高低和农机的作业环境。

（2）农业生产成本变化量 ΔC

农业成本变化量 ΔC，一方面取决于使用农机本身的成本 C_{m}，另一方面取决于使用农机所替代的其他要素成本的变化量 ΔC_{e}。

$$\Delta C = C_{m} + \Delta C_{e} = S \cdot C_{hec} + \sum \Delta e_{i} \cdot w_{i}$$

$$C_{hec} = \frac{C_{fix}}{A} + C_{var} = \frac{C_{depre} + C_{inte} + C_{insu} + C_{main}}{A} + C_{labor} + C_{fuel} + C_{trans}$$

（3）农产品价格 p_{f}

一般来说，使用农机不是 p_{f} 变化的原因，但如果外来因素使得 p_{f} 增加，则在 $\Delta Q > 0$ 时，使得 ΔY_{f} 增大；在 $\Delta Q < 0$ 时，使得 ΔY_{f} 减小。

3.3.3 农户是否使用农机行为的影响因素汇总

综合以上对农户使用农机行为影响因素的分析，农户使用农机行为的诸多影响因素可归为两类：一类因素是通过影响农户心理容忍值 TV 而产生影响，一类是通过影响农户的实际农业收入变化量 ΔY_{f} 而产生影响。因此，可列出农户使用农机行为影响因素表，如表 3-1 所示。

表 3-1 农户使用农机行为影响因素表

影响因素类型		因素名称	对应变量	对农户使用农机行为的作用方向
农户使用农机的容忍值 TV	农户非农就业环境	非农劳动时间变化量	ΔT_{w}	+
		非农劳动报酬率	r_{w}	+
	农机作业效果 1	农业劳动时间变化量	$-\Delta T_{f}$	+
	农户初始经济状况	农户心理劳动报酬率	RS	若 $\Delta T_{c} > 0$，+ 若 $\Delta T_{c} < 0$，-
农户的实际农业收入变化量 ΔY_{f}	农机作业效果 2	农业产量变化量	ΔQ	+
	农机作业效果 3	农业生产成本变化量	ΔC	-
	农产品市场状况	农产品价格	p_{f}	若 $\Delta Q > 0$，+ 若 $\Delta Q < 0$，-

3.4 农户选择农机使用方式的行为逻辑

到目前为止，本章已经从理论上分析了农户是否使用农机的临界点以及农户使用农机的影响因素。如果农户决定使用农机，他会以何种方式使用农机？是从农机租赁市场租用还是自己购买使用？这就是本节要解决的问题。农户在是否使用农机之间的抉择可视为农户对不同生产方式的抉择，同样，农户对不同农机使用方式的选择也可视为农户对不同生产方式的选择，因而也可采用本书提出的农户行为模型进行分析。

农机属于农业生产中的固定资本，固定资本的特征是，其价值在生产过程中不是一次全部转移，而是在生产过程中随着磨损逐步转移到新产品中去。农机的固定资本属性为农机的租用方式提供了可能，像化肥、农药等一次性转移到新产品中的生产要素是不可能出现租用方式的。农机的另外一个属性是规模性，农机天生为农业规模经营而生。一方面，购买农机的一次性投入较大，固定的维护费用也较高；另一方面，在一定的生产周期内农机可服务的耕地面积较大。农机的规模性属性使得农机有了"被租用"的需要。

分析农户选择农机使用方式的行为逻辑，首先要了解不同农机使用方式对农户效用的影响。对农户而言，农户租用农机的前提是存在农机租赁市场，如果不存在农机租赁市场，则农户只能自己购买使用。如果存在农机租赁市场，则农户使用农机方式可以选择租用、自己购买使用，或者自己购买使用兼出租。基于这样的分析思路，本节将首先分析不同农机使用方式对农户效用的影响；然后对农机租赁市场的存在性进行分析，弄清农机租赁市场存在的条件；最后分析存在农机租赁市场的条件下，农户租用农机与购买自用农机的行为逻辑。

3.4.1 农机使用方式对农户效用的影响

（1）农机使用方式对农户农业生产的影响

前文分析了使用农机对农户农业生产的影响可概括为三方面：一是影响农户的农业劳动时间；二是影响农户农业产量；三是影响农户农业生产成本。可以假设不同农机使用方式对农户农业劳动时间、农户农业产量的影响无差异，不同农机使用方式对农户农业生产的影响，主要体现在农户农业生产成本的差异。如图 3-8 上半部分描述了农户使用农机对农业生产的三种影响。农户在农机使用农机方式一（如租用农机）与农机使用农机方式二（如购买使用农机）下，农户的农业劳动时间 $T_\mathrm{f}^1 = T_\mathrm{f}^2$，农业产量 $Q_1 = Q_2$，农业生产成本分别为 C_1、C_2，农业生产成本的变化为 ΔC。根据公式 $\Delta Y_\mathrm{f} = \Delta Q \cdot p_\mathrm{f} - \Delta C$，其中 p_f 为市场给定的农产品价格，可以得到不同农机使用方式下的农户劳动报酬曲线的变化情况，如图 3-8 下半部分。农机使用农机方式一的农业劳动报酬率为 r_f^1，农机使用农机方式二的农业劳动报酬率为 r_f^2。不同农机使用方式下，农户农业劳动时间不变，农业收入变化量为 ΔY_f，且成本越低的农机使用方式，对应的农业收入就越高。

（2）农机使用方式对农户非农生产的影响

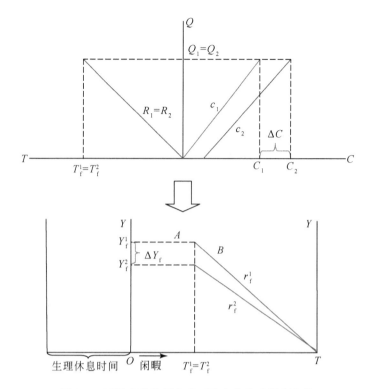

图3-8　不同农机使用方式下的农业劳动报酬曲线

　　由于假设不同农机使用方式之间，对应的农业劳动时间相同，因此不会产生农户从农业劳动中"解放"出来，而获得更多非农劳动机会的效果。但如果农户选择自购使用农机兼出租，即农户自己购买使用农机的同时还进行农机租赁服务工作，农户自己使用农机的那部分属于农业生产行为，进行农机租赁服务那部分可视为非农生产行为。一般来说，如果使用农机后农户非农劳动时间增加，则农户使用农机的意愿会提高；同样，农户也更愿意选择能增加农户非农劳动时间的农机使用方式。

　　（3）农机使用方式对农户效用的影响

　　如果不考虑农户从事农机租赁服务，则不同农机使用方式对农户生产的影响，主要体现在对农户农业生产成本的影响，进而对农业收入的影响。更进一步，不同农机使用方式下，农户的闲暇时间相同，收入随着农机使用成本的变化而变化。由于农户效用函数是闲暇时间与收入的增函数，在闲暇不变时，收入增加农户的效用就增加。因此追求效用最大化的农户，会选择使用成本较低的农机使用方式。如图3-9所示，不同农机使用方式下农户的劳动、闲暇时间相同。在农机使用方式一下，由于农机使用成本较低，使得农业收入较高（Y_f^1

$>Y_f^2$），进而总收入较高（$Y^1>Y^2$），进而农户效用较高（$U^1>U^2$）。

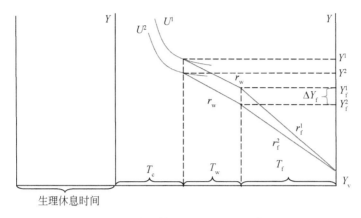

图 3-9　不同农机使用方式下农户的效用水平

　　如果考虑农户从事农机租赁服务，由于农户从事农机租赁服务相当于增加了农户的非农劳动时间，此时追求效用最大化的农户需要综合权衡不同农机使用方式带来的劳动时间与收入的变化情况，农户权衡的具体过程同 3.1 节中所述类似。

3.4.2　农机租赁市场存在的条件

　　一个常见的现象是：某些农机存在较发育的租赁市场，如大型耕整机、插秧机、收割机等；而某些农机却少有租赁市场，如小型农用三轮车、小型汽油喷雾器等。可见，一种农机是否存在租赁市场，可能与农机自身的特性有关。本节将提出农机的"租/购临界规模"这一概念，并论证农机租赁市场存在的条件是，存在一定数量的耕地面积小于农机"租/购临界规模"的农户。

3.4.2.1　农机的租/购临界规模

　　农机一般有固定的使用寿命，购买农机的一次性固定费用在其使用寿命期间分摊，单位工作周期内分摊的固定成本是一定的。因此单位工作周期（如一年）内农机服务的土地面积越大，单位土地面积分摊的固定成本就越小（恰亚诺夫，1996）。

　　由于存在农机租赁市场，必然存在农机租用的市场价格，则农户在选择是租用还是购买使用时，比较的是租用农机的成本与购买使用农机的成本。

　　农机的租/购临界规模的定义：设农户购买农机自用，为使农户单位面积购买使用农机成本等于农机市场租赁价格，农户一年内至少需要耕作的土地面积。

单位面积使用农机的成本为

$$C_{\text{hec}} = \frac{C_{\text{fix}}}{S} + C_{\text{var}}$$

设农机市场租赁价格为 C_{hire}，则农户购买自用而不租用农机的条件是 $C_{\text{hec}} < C_{\text{hire}}$，即

$$\frac{C_{\text{fix}}}{S} + C_{\text{var}} < C_{\text{hire}} \Rightarrow S > \frac{C_{\text{fix}}}{C_{\text{hire}} - C_{\text{var}}}$$

令 $S^* \equiv \dfrac{C_{\text{fix}}}{C_{\text{hire}} - C_{\text{var}}}$，则 S^* 即为农机的租/购临界规模。如果农户的耕地面积大于 S^*，则自购使用农机划算；如果农户的耕地面积小于 S^*，则租用农机划算。

不同类型农机有不同的租/购临界规模，一般来说，大型农机的租/购临界规模较大，小型农机的租/购临界规模较小。表 3-2 中数据反映了几种常用收割机的成本数据，并计算出了其对应的租/购临界规模。

表 3-2　几种常用收割机的成本数据及租/购临界规模

项　目		常用收割机型号		
		福田雷沃 Dc238	浙江柳林 4Lz-210	沃得 4Lz-2.5
农机的基本参数	收割效率/（公顷/小时）	0.53	0.40	0.33
	收割效果（损失率,%）	2	2	3
	农机使用年限/年	8	8	8
	平均每年实际收割面积/公顷	40.0	36.7	33.3
农机固定成本	购买价格/（元/台）	69 000	64 000	63 000
	购置补贴/（元/台）	22 000	20 000	19 000
	农机年保险费/（元/台·年）	110	110	110
	年维修养护费/（元/台·年）	5 000	5 000	5 000
	每年固定成本小计	10 985	10 610	10 610
农机可变成本	每公顷燃油费/（元/公顷）	120	90	75
	每公顷人工费/（元/公顷）	75	60	45
	每公顷可变成本小计	195	150	120
收割机租用价格/（元/公顷）		900	900	900
雇佣人工收割的成本/（元/公顷）		1 350.0	1 350.0	1 350.0
农机的租/购临界规模/公顷		15.6	14.1	13.6

注：农机的成本数据来源于湖北省监利县农机局统计资料，农机的租/购临界规模根据农机成本数据计算得到。

3.4.2.2 农机租赁市场与租赁价格

（1）农机租赁市场的存在条件

有效的需求与供给是一个市场存在的两个基本要素。在生产力高度发展、工业制造能力发达的今天，供给不是市场的短板，最终决定市场发展的是需求，有农机的需求就会有农机的供给。因此，某类农机租赁市场存在的前提是有该类农机租赁的需求。如果所有农户的耕地面积均大于农机的租/购临界规模，则农户均会自购使用农机，不会出现对农机租赁的需求，此时农机租赁市场不会存在。如果有一定数量农户的耕地面积小于农机的租/购临界规模，则这部分农户会产生对农机租赁的需求，当这一需求达到一定规模，农机租赁的供给总会出现，于是就出现了农机租赁市场。可见农机租赁市场存在的条件是，存在一定数量的耕地面积小于农机租/购临界规模的农户。

（2）农机租赁市场的发展与农机租赁价格

在农机租赁市场形成初期，农机租赁供给的分工与专化业水平较低，农机租赁供给的成本会较高，这时的农机租赁价格 C_{hire} 会较高。由于竞争，随着租赁市场的发展，农机租赁供给的分工与专业化水平会提升，农机租赁的供给成本会随之下降，农机租赁价格 C_{hire} 也会下降。即：随着农机租赁市场的发展，农机租赁价格 C_{hire} 呈下降趋势。

另一方面，根据农机租/购临界规模的定义（$S^* \equiv \dfrac{C_{fix}}{C_{hire} - C_{var}}$），当农机使用的固定成本 C_{fix} 与可变成本 C_{var} 既定，农机租赁价格 C_{hire} 越低，农机租/购临界规模 S^* 就越大。S^* 越大，耕地面积小于 S^* 的农户就越多，农机租赁需求量就越大。即：农机租赁价格 C_{hire} 越低，农机租赁市场需求量越大。

由于农机租赁价格会随租赁市场的发展而变化，而农机租/购临界规模会随农机租赁价格的变化而变化，因此农机租/购临界规模会随农机租赁市场的发展而变化。实际上，农机租/购临界规模是与农机租赁市场同时产生的。从严格的逻辑上讲，用农机租/购临界规模来判断农机租赁市场存在的条件，是有逻辑缺陷的；但这一概念对理解农户选择农机使用方式的行为是有帮助的。

3.4.3 农户使用农机方式抉择

农机租赁市场存在的条件是，存在一定数量的耕地面积小于农机租/购临界规模的农户。本节将分析在农机租赁市场存在的条件下，农户是选择租用还是购买使用或者购买使用兼出租的行为逻辑。

如果不存在农机租赁市场，农户如果使用农机则只能自己购买使用。如果存在农机租赁市场，则农户使用农机方式有三种：租用、自己购买使用、自己购买使用兼出租。图 3-10 描述了农户选择农机使用方式的行为逻辑。

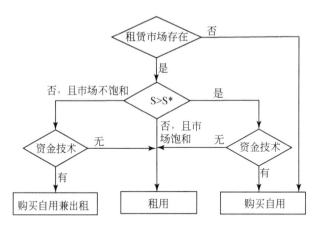

图 3-10　农户选择农机使用方式的行为逻辑

（1）农户耕地面积小于农机的租/购临界规模

当农户耕地面积小于农机的租/购临界规模时，租用农机比购买使用农机划算，农户不会选择纯粹的购买自用。如果农机租赁供给市场还未饱和，农户又有购买农机的资金及使用农机的相关技术，则农户可以购买农机出租兼自用。如果农机租赁供给市场已经饱和，或者农户缺少购买农机的资金及使用农机的相关技术，则农户只能租用农机。

（2）农户耕地面积大于农机的租/购临界规模

当农户耕地面积大于农机的租/购临界规模时，购买使用农机比租用农机划算。如果农户具备购买农机的资金及使用农机的相关技术，则农户会购买使用农机；如果农户缺少购买农机的资金及使用农机的相关技术，则农户只能租用农机。

3.5　本章小结

（1）3.1 节内容小结

3.1 节分析了农户使用农机对农业生产的影响。其主要内容如下：

第一，分析了农户使用农机对农业生产的影响。农户使用农机对农业生产的影响可归结为三方面：一是影响农户的农业劳动时间；二是影响农业产量；三是影响农业生产成本。而对农业产量与农业成本的影响又可转化为对农业收入的影响，因此农户使用农机对农业生产的影响可进一步归结为两方面：一是影响农户的农业劳动时间；二是影响农户农业收入。

第二，分析了农户使用农机对非农生产的影响。农户使用农机可能会增加农户非农劳动时间。因为不只是闲暇与劳动时间存在两难冲突，农户的农业劳动时间与非农劳动时间也往往出现两难冲突，农户通过使用农机节省农业劳动时间，可将农户从农业劳动中"解放"出来，以便更好地寻求非农职业。

第三，分析了农户使用农机对农户劳动报酬曲线的影响。

（2）3.2 节内容小结

3.2 节分析了农户是否使用农机的行为逻辑。其主要内容如下：

第一，提过了农户使用农机行为模型。农户使用农机行为属于农户生产行为，因此农户使用农机行为可用农户行为模型分析：

$$\text{Obj}: \max U^i = U(Y^i, T_c^i) = [a(Y^i)^\rho + (1-a)(T_c^i)^\rho]^{1/\rho} \quad (0 < a, \rho < 1)$$

$$\text{s.t.}: Y^i = T_f^i \cdot r_f^i + T_w^i \cdot r_w^i + Y_v, T_c^i = T - T_f^i - T_w^i \quad (i \in I = \{1, 2\})$$

与一般农户行为模型不同：农户使用农机行为模型中农户生产方式的选择集 I 只有两个元素，即农户不使用农机时的生产方式 1 与农户使用农机时的生产方式 2。农户效用最大化过程是对两种生产方式下农户效用水平的比较过程。

第二，对农户是否使用农机的临界点进行了分析。农户使用农机行为的临界点，是指这样一种状态：在这一状态下，农户使用农机与不使用农机无差异，即使用农机前后的效用水平不变。通过提出农户使用农机后对农业收入减少量的容忍值 TV 这一概念，较好地对农户使用农机的临界点进行了阐述。农户是否使用农机取决于使用农机后实际农业收入变化量 ΔY_f 与农户心理容忍值 TV 的比较。如果 $-\Delta Y_f > \text{TV}$，则农户不使用农机为较优选择；如果 $-\Delta Y_f < \text{TV}$，则农户使用农机为较优选择。

（3）3.3 节内容小结

3.3 节分析了农户是否使用农机的影响因素。其主要内容如下：

第一，通过图形推导，分析了农户效用函数特征及农户非农就业机会对农户使用农机行为的影响，得出了两方面的结论：①农户使用农机后农业收入减少量的容忍值 TV 受农户效用函数的影响。在其他条件相同时，收入在农户消费效用中相对重要性越小，ΔT 的闲暇增加带来的效用增量越大，农户的容忍值 TV 就越大。更偏好闲暇消费的农户比更偏好收入消费的农户更能容忍使用农机后的收入减少，在相同的条件下，其更愿意使用农机。②农户使用农机后是否可以获得更多非农就业机会对农户使用农机决策有重要影响。如果农户使用农机后缩短了农业劳动时间，并因此可以获得更多非农就业机会，那么其使用农机的意愿会更强。

第二，通过分析农户使用农机后实际农业收入变化量 ΔY_f 与农户心理容忍值 TV 的影响因素，推导出了农户使用农机行为的影响因素可归为四类：农户非农就业环境、农户初始经济状况、农机作业效果和农产品市场状况。

（4）3.4 节内容小结

3.4 节分析了农户使用农机的方式及其行为逻辑。其主要内容如下：

第一，提出了农机"租/购临界规模"的概念。设农户购买农机自用，为使农户单位面积购买使用农机成本等于农机市场租赁价格，农户一年内至少需要耕作的土地面积，就是农机"租/购临界规模"。

第二，讨论了农机租赁市场存在的条件。农机租赁市场存在的条件是：存在一定数量的耕地面积小于农机租/购临界规模的农户。

第三，分析了农户使用农机的方式。农户使用农机的方式包括三种：租用、自己购买使用、自己购买使用兼出租。如果不存在农机租赁市场，农户如果使用农机则只能自己购买使用。

当存在农机租赁市场，且农户耕地面积小于农机的租/购临界规模时：如果农机租赁供给市场还未饱和，农户又有购买农机的资金及使用农机的相关技术，则农户可以购买农机出租兼自用。如果农机租赁供给市场已经饱和，或者农户缺少购买农机的资金及使用农机的相关技术，则农户只能租用农机。

当存在农机租赁市场，且农户耕地面积大于农机的租/购临界规模时：如果农户具备购买农机的资金及使用农机的相关技术，则农户会购买使用农机；如果农户缺少购买农机的资金及使用农机的相关技术，则农户只能租用农机。

4

不同类型农户使用农机行为分析

我国社会经济的区域差异较大，这使得不同地区农户面临的经济环境差异较明显；另外，农户自身特征（包括经济负担、工作能力等）也是千差万别。这些差异必然会对农户使用农机行为产生影响。因此，分析农户使用农机行为，有必要考虑农户之间的差异。本章的主要研究内容包括两部分：一是根据农户之间的差异将农户进行分类；二是对不同类型农户使用农机的行为进行分析。

4.1 农户类型划分

根据农户是否从事非农劳动生产，可将农户分为纯农户和兼业农户；根据农户是否充分就业①，可进一步将农户分为四类：未充分就业纯农户、充分就业纯农户、未充分就业兼业农户、充分就业兼业农户。

4.1.1 农户就业状态的判断

是否从事非农劳动这一划分依据较容易理解，而是否充分就业这一划分标准则不太容易把握。农户就业情况可从就业时间的数量与质量两方面进行分析，就业时间的数量指劳动时间，就业时间的质量则指劳动报酬率。是否充分就业的判断标准依赖于对充分就业的定义。

首先，充分就业显然不能单单用劳动时间来衡量，这是学术界所共识的。

---

① 充分就业本属于宏观经济学中的概念，充分就业指包含劳动在内的一切生产要素都能以愿意接受的价格参与生产活动的状态。如果"非自愿失业"已消除，失业仅限于摩擦失业、结构性失业和自愿失业的话，就是实现了充分就业。一般认为充分就业不是百分之百就业，充分就业并不排除像摩擦失业这样的失业情况存在。大多数经济学家认为存在4%～6%的失业率是正常的，此时社会经济处于充分就业状态（百度百科，充分就业，http://baike.baidu.com/view/142634.htm? fr=ala0_1）。本书中提到的充分就业则是一个微观概念，是指农户就业情况好于社会平均水平的这样一种状态。

如在劳动报酬率很低的情况下，农户将所有可用时间均用来劳动，但所获收入仍不能为家庭提供温饱，这种就业状况当然不能称为充分就业的状态。

因此充分就业的定义应包含劳动时间与劳动报酬率两个因素，下面将采用反映劳动时间与劳动报酬率的二维图形来探讨农户充分就业的定义。如图 4-1 所示，横轴代表劳动时间，纵轴代表劳动报酬率。为分析方便，可设：总的可用劳动时间为 2 个单位，劳动报酬率最高为 2 个单位，社会平均劳动时间是 1 个单位，社会平均劳动报酬率为 1 单位，因此社会平均收入也为 1 个单位。综合反映农户劳动时间与劳动报酬率状况的充分就业的定义可以有两种。

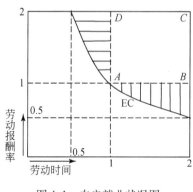

图 4-1　农户就业状况图

充分就业的定义一：劳动时间多于社会平均劳动时间，劳动报酬率高于社会平均劳动报酬率。则充分就业的区域为点 A、B、C、D 所围成的区域。

充分就业的定义二：劳动收入高于社会平均劳动收入。则充分就业的区域为曲线 EC（employment curve）右上方的区域。

从图形上看，定义二下的充分就业区域大于定义一下的充分就业区域，多出的区域为图中阴影线区域。其中，横线阴影区域反映的是劳动报酬率高于社会平均水平，劳动时间低于社会平均水平，而劳动收入大于社会平均水平的情况；竖线阴影区域反映的是劳动报酬率低于社会平均水平，劳动时间高于社会平均水平，而劳动收入大于社会平均水平的情况。

就业现状处于横线阴影区范围的农户较少，此区域农户的劳动时间不多但收入不低，属于"悠闲的富裕群体"。就业现状处于竖线阴影区范围的农户是较多的，此区域农户的属于"勤劳的富裕群体"，通过从事非农职业或承包大面积土地进行农业生产，虽然他们的劳动报酬率可能稍低于社会平均水平，但通过付出更多的劳动时间，其家庭的收入水平可以接近甚至超过社会平均水平。这两类农户的经济状况均较好，应该属于充分就业。因此本书选择定义二来判断农户是否充分就业。

根据充分就业的定义二，农户是否充分就业的判断标准是看其劳动收入是否到达社会平均劳动收入水平。如果农户劳动收入到达了社会平均水平，即使其劳动时间偏短（但其劳动报酬率较高），仍认为其已经充分就业；如果农户劳动收入未达到社会平均水平，即使其劳动时间偏长（但其劳动报酬率较低），仍认为其未充分就业。如图 4-2 所示，Y_0 代表社会平均劳动收入，$T-$

T_0 代表社会平均劳动时间，对应的劳动报酬率为 r_0；劳动报酬率为 r_2 的农户虽然其劳动时间 $T - T_2$ 小于社会平均劳动时间 $T - T_0$，但其劳动收入 Y_2 大于社会平均劳动收入，所以该农户已充分就业；劳动报酬率为 r_1 的农户虽然其劳动时间 $T - T_1$ 大于社会平均劳动时间 $T - T_0$，但其劳动收入 Y_1 小于社会平均劳动收入，所以该农户未充分就业。

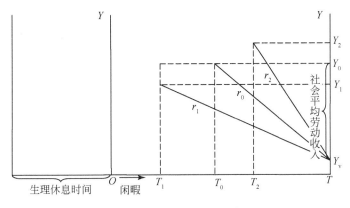

图 4-2　农户就业状况判别图

4.1.2　不同类型农户的经济特征

（1）未充分就业纯农户的经济特征

未充分就业纯农户有两大特征：一是无非农收入，且无非农收入的原因是由于自身或外界环境的限制，其没有从事非农劳动的机会；二是未充分就业，未充分就业的原因一方面源自农户耕地面积少，另一方面源自无从事非农劳动的机会。未充分就业纯农户的生产活动同时受土地面积和非农就业机会的限制。此类农户的经济状况是：农户劳动报酬率低于社会平均劳动报酬率，农户劳动收入水平低于社会平均劳动收入水平。

未充分就业纯农户自身的经济状况使得其效用函数曲线较平缓，属于“收入偏好型”。未充分就业纯农户的非农就业环境使得其使用农机前后，非农就业时间并不能得到增加，并且由于农户耕地面积少，农机的耕作效率不能得到充分发挥。

（2）充分就业纯农户的经济特征

充分就业纯农户最显著的特征是其耕作土地面积较大，生产活动不受土地面积的限制，通过农业生产就可以充分吸纳家庭的劳动力，从而无须从事非农劳动。此类农户的经济状况是：农户劳动报酬率接近或高于社会平均劳动报酬率，农户劳动收入接近或高于社会平均劳动收入水平。

充分就业纯农户自身的经济状况较好使得其效用函数曲线相对不那么平缓。充分就业纯农户使用农机主要是为了提高劳动效率，以便更好地完成农业生产。其对外部的非农就业环境不太敏感。并且由于农户耕地面积大，农机的耕作效率往往较高。

（3）未充分就业兼业农户的经济特征

未充分就业兼业农户有两大特征：一是有部分非农收入，但由于农户自身或外界环境的限制，非农收入占总收入比重较小；二是未充分就业，未充分就业的原因一方面源自农户耕地面积少，另一方面源自从事非农劳动的机会受限。未充分就业兼业农户的生产活动同时受土地面积和非农就业机会的限制。此类农户的经济状况是：农户劳动报酬率低于社会平均劳动报酬率，农户劳动收入水平低于社会平均劳动收入水平。

未充分就业兼业农户自身的经济状况使得其效用函数曲线较平缓，属于"收入偏好型"。未充分就业兼业农户与未充分就业纯农户的经济特征在许多情况下类似。他们的区别在于未充分就业兼业农户有部分非农就业机会，且由于使用农机而节省出农业劳动时间，使其可以更专注于非农职业，因而其非农劳动时间可能会在使用农机后有所增加。

（4）充分就业兼业农户的经济特征

充分就业兼业农户最显著的特征是非农就业环境较好，生产活动不受非农就业机会的限制，非农收入是主要收入来源。充分就业兼业农户的主要劳动力从事非农劳动，由于耕地面积不大，农业劳动主要由老人或妇女承担。此类农户的经济状况是：农户劳动报酬率接近或高于社会平均劳动报酬率，农户劳动收入接近或高于社会平均劳动收入水平。

充分就业兼业农户自身的经济状况较好使得其效用函数曲线相对不那么平缓。充分就业兼业农户使用农机主要是为了缓解农业生产的劳动强度，使得主要劳动力在外进行非农劳动的同时，家庭的其他劳动力可以兼顾农业生产。

（5）不同类型农户使用农机行为影响因素的差异

在3.3节中总结了农户使用农机行为的影响因素，不同类型农户由于其经济特征不同，他们使用农机行为的影响因素也会相应有差异。其中，不同类型农户容忍值影响因素的差异可以根据前面对不同类型农户经济特征的详细分析得到，如表4-1所示的上半部分。设不同类型农户面临的农产品市场及农机服务市场无差异，则不同类型农户实际农业收入变化量的差异主要来源于使用农机前后农业生产成本变化量的差异。与其他类型农户相比，充分就业纯农户的耕地面积较大，农机作业的转移成本相对较小，另外充分就业纯农户如果不使用农机，则需雇佣较多劳动力，农机的使用使得雇佣劳动成本减少较多。不同类型农户使用农机前后实际农业生产成本变化量的差异，如表 4-1 的下半部分所示。

表4-1 不同类型农户使用农机行为影响因素的差异

影响因素类型		未充分就业纯农户	充分就业纯农户	未充分就业兼业农户	充分就业兼业农户
TV 的影响因素	农户非农就业环境	差	—	较差	较好
	农业劳动时间变化量	一般	较高	一般	一般
	农户初始经济状况	较差	较好	较差	较好
	农户效用函数特征	较平缓	不太平缓	较平缓	不太平缓
农业生产成本变化量	农机使用成本	一般	较低	一般	一般
	替代要素投入较少	不多	较多	不多	一般

4.2 未充分就业纯农户使用农机行为分析

4.2.1 未充分就业纯农户使用农机行为的临界点

未充分就业纯农户的主要经济特征是：耕地面积小，且无非农收入，生产活动受土地面积和非农就业机会的双重限制，消费中属于"收入偏好型"，效用函数曲线较平缓。根据未充分就业纯农户的这些经济特征，可以得到未充分就业纯农户使用农机的临界状态，如图 4-3 所示。

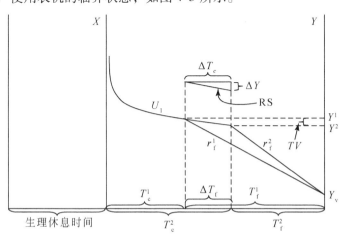

图 4-3 未充分就业纯农户使用农机的决策情况

图4-3中，农户在使用农机之前的生产与消费状态为（T_f^1，0，r_f^1，−；Y^1，T_c^1，U^1）：农户的农业劳动时间为T_f^1，非农劳动时间为0，农业劳动报酬率为r_f^1，不存在非农劳动报酬率，收入为Y^1，闲暇时间为T_c^1，获得的效用水平为U^1。由于农户使用农机后非农劳动时间不变，则农户使用农机的临界状态为（T_f^2，0，r_f^2，−；Y^2，T_c^2，U^1）：农户的农业劳动时间为T_f^2，非农劳动时间为0，农业劳动报酬率为r_f^2，不存在非农劳动报酬率，收入为Y^2，闲暇时间为T_c^2，获得的效用水平为U^1。此时农户使用农机对农业收入减少量的容忍值为 TV。从图4-3中直观地看，未充分就业纯农户的容忍值 TV 较小。

4.2.2 未充分就业纯农户使用农机的意愿分析

（1）容忍值大小分析

对未充分就业纯农户而言，$\Delta T_w = 0$，所以其容忍值 TV = RS·（−ΔT_f）。一方面，农户使用农机前后农业劳动时间的变化量 ΔT_f 是给定的，且 $\Delta T_f < 0$；另一方面，未充分就业纯农户在消费行为中属于"收入偏好型"，其效用函数曲线较平缓，以致闲暇对收入的替代率 RS 较小。因此，未充分就业纯农户的容忍值 TV 较小。

（2）实际农业收入变化量分析

一方面，由于未充分就业纯农户耕地面积较小，使用农机的转移成本 C_{trans} 较大，其单位土地面积使用农机成本 C_{hec} 相对较高；另一方面，未充分就业纯农户不雇佣或较少雇佣劳动力，其使用农机所替代的其他要素成本的变化量 ΔC_e 较大。因此，未充分就业纯农户使用农机后农业生产成本变化量 ΔC（$\Delta C = S \cdot C_{hec} + \Delta C_e$）较大。

设不同类型农户面临的农产品市场及农机服务市场无差异，则未充分就业纯农户使用农机前后实际农业收入变化量 ΔY_f（$\Delta Y_f = \Delta Q \cdot p_f - \Delta C$）较小。

（3）农户使用农机的意愿大小

根据以上分析，未充分就业纯农户使用农机的容忍值 TV 较小，使用农机前后实际农业收入变化量 ΔY_f 较小。即未充分就业纯农户使用农机前后实际农业收入减少量 −ΔY_f 较大，而心理能接受的农业收入减少量 TV 较小。因而，未充分就业纯农户使用农机的意愿较小。

4.2.3 未充分就业纯农户农机化的突破点

未充分就业纯农户使用农机的意愿较小的直接原因是 −ΔY_f 较大而 TV 较

小，往前追溯，未充分就业纯农户使用农机意愿较小的根源是来自其经济特征：耕地面积小，且无非农收入，生产活动受土地面积和非农就业机会的双重限制。在土地面积和非农就业机会的双重限制下，收入的高低关系到家庭的基本温饱，农户不得不重视收入，而"轻视"闲暇，这些导致了农户使用农机的容忍值 TV 较小。农户土地面积少，几乎不雇佣劳动力，这些则导致了农户使用农机的实际农业收入减少量 $-\Delta Y_f$ 较大。

未充分就业纯农户农机化的突破点应是改善其生产条件：增加其耕地面积，或者改善其非农就业环境，使未充分就业纯农户向充分就业纯农户或充分就业兼业农户转化。

4.3 未充分就业兼业农户使用农机行为分析

未充分就业兼业农户的特征是：农户耕作土地面积较小，有少量非农收入，生产活动受土地面积和非农就业机会不足的限制，因此农户劳动报酬率低于社会平均劳动报酬率，农户劳动收入低于社会平均劳动收入水平。兼业农户使用农机的情况比纯农户要复杂，因为兼业农户的劳动时间除了农业劳动时间外还有非农劳动时间。对未充分就业兼业农户而言，根据使用农机对其非农就业的影响可将未充分就业兼业农户继续细分为两类：第一类是使用农机前后，兼业农户的兼业水平无显著变化，农户使用农机节省的农业劳动时间，但不能获得更多的非农就业机会；第二类是使用农机后，兼业农户的兼业水平显著提高，农户使用农机节省农业劳动时间使得其能获得了更多的非农就业机会，甚至因而达到充分就业状态。

4.3.1 未充分就业兼业农户 I 使用农机行为分析

4.3.1.1 未充分就业兼业农户 I 使用农机行为的临界点

未充分就业兼业农户 I 的主要经济特征是：耕地面积小，有少量非农收入，使用农机前后非农劳动时间变化不大，生产活动受土地面积和非农就业机会的双重限制，消费中属于"收入偏好型"，效用函数曲线较平缓。根据未充分就业兼业农户 I 的这些经济特征，可以得到未充分就业兼业农户 I 使用农机的临界状态，如图 4-4 所示。

图 4-4 中，农户在使用农机之前的生产与消费状态为（T_f^1, T_w, r_f^1, r_w; Y^1, T_c^1, U^1）：农户的农业劳动时间为 T_f^1，非农劳动时间为 T_w，农业劳动报酬

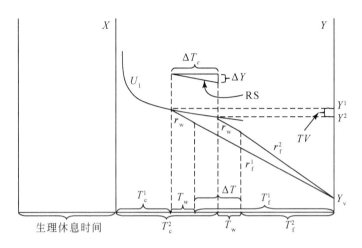

图 4-4　未充分就业兼业农户 I 使用农机的决策情况

率为 r_f^1，非农劳动报酬率为 r_w，收入为 Y^1，闲暇时间为 T_c^1，获得的效用水平为 U^1。由于农户使用农机后非农劳动时间不变，则农户使用农机的临界状态为（T_f^2，T_w，r_f^2，r_w；Y^2，T_c^2，U^1）：农户的农业劳动时间为 T_f^2，非农劳动时间为 T_w，农业劳动报酬率为 r_f^2，非农劳动报酬率为 r_w，收入为 Y^2，闲暇时间为 T_c^2，获得的效用水平为 U^1。此时农户使用农机对农业收入减少量的容忍值为 TV，从图 4-4 中直观地看，未充分就业兼业农户 I 的容忍值 TV 较小。

4.3.1.2　未充分就业兼业农户 I 使用农机行为的意愿分析

（1）容忍值大小分析

对未充分就业兼业农户 I 而言，$\Delta T_w = 0$，所以其容忍值 $TV = RS \cdot (-\Delta T_f)$。一方面，农户使用农机前后农业劳动时间的变化量 ΔT_f 是给定的，且 $\Delta T_f < 0$；另一方面，未充分就业兼业农户 I 在消费行为中属于"收入偏好型"，其效用函数曲线较平缓，以致闲暇对收入的替代率 RS 较小。因此，未充分就业兼业农户 I 的容忍值 TV 较小。

（2）实际农业收入变化量分析

一方面，由于未充分就业兼业农户 I 耕地面积较小，使用农机的转移成本 C_{trans} 较大，其单位土地面积使用农机成本 C_{hec} 相对较高；另一方面，未充分就业兼业农户 I 不雇佣或较少雇佣劳动力，其使用农机所替代的其他要素投入成本的变化量 ΔC_e 较大，因此未充分就业兼业农户 I 使用农机后农业生产成本变化量 ΔC（$\Delta C = S \cdot C_{hec} + \Delta C_e$）较大。

设不同类型农户面临的农产品市场及农机服务市场无差异，则未充分就业兼业农户Ⅰ使用农机前后实际农业收入变化量 ΔY_f（$\Delta Y_f = \Delta Q \cdot p_f - \Delta C$）较小。

（3）农户使用农机的意愿大小

根据以上分析，未充分就业兼业农户Ⅰ使用农机的容忍值 TV 较小，使用农机前后实际农业收入变化量 ΔY_f 较小。即未充分就业兼业农户Ⅰ使用农机前后实际农业收入减少量 $-\Delta Y_f$ 较大，而心理能接受的农业收入减少量 TV 较小。因而，未充分就业兼业农户Ⅰ使用农机的意愿较小。

4.3.1.3 未充分就业兼业农户Ⅰ农机化的突破点

通过对未充分就业兼业农户Ⅰ使用农机行为的分析，可知未充分就业兼业农户Ⅰ与未充分就业纯农户使用农机行为情况是类似的。未充分就业兼业农户Ⅰ使用农机的意愿较小的根源亦是来自其经济特征：耕地面积小，非农收入较少，生产活动受土地面积和非农就业机会有限的双重限制。在土地面积和非农就业机会的双重限制下，收入的高低关系到家庭的基本温饱，农户不得不重视收入，而"轻视"闲暇，这些导致了农户使用农机的容忍值 TV 较小。农户土地面积少，几乎不雇佣劳动力，这些则导致了农户使用农机的实际农业收入减少量 $-\Delta Y_f$ 较大。

未充分就业兼业农户Ⅰ有部分非农收入，此类型农户农机化的突破点可着重在改善其非农就业环境，使其可以获得更多的非农劳动机会，从而使未充分就业兼业农户Ⅰ向充分就业兼业农户转化。

4.3.2 未充分就业兼业农户Ⅱ使用农机行为分析

4.3.2.1 未充分就业兼业农户Ⅱ使用农机行为的临界点

未充分就业兼业农户Ⅱ的主要经济特征是：耕地面积小，有少量非农收入，使用农机前后非农劳动时间有较大增加，使用农机后生产活动受非农就业机会的限制程度降低。根据未充分就业兼业农户Ⅱ的这些经济特征，可以得到未充分就业兼业农户Ⅱ使用农机的临界状态，如图4-5所示。

图4-5中，农户在使用农机之前的生产与消费状态为（T_f^1, T_w^1, r_f^1, r_w; Y^1, T_c^1, U^1）：农户的农业劳动时间为 T_f^1，非农劳动时间为 T_w^1，农业劳动报酬率为 r_f^1，非农劳动报酬率为 r_w，收入为 Y^1，闲暇时间为 T_c^1，获得的效用水平为 U^1。由于农户使用农机后非农劳动报酬率不变，则农户使用农机的临界状态为（T_f^2, T_w^2, r_f^2, r_w; Y^2, T_c^2, U^1）：农户的农业劳动时间为 T_f^2，非农劳动

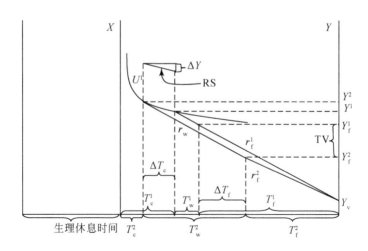

图 4-5　未充分就业兼业农户 II 使用农机的决策情况

时间为 T_w^2，农业劳动报酬率为 r_f^2，非农劳动报酬率为 r_w，收入为 Y^2，闲暇时间为 T_c^2，获得的效用水平为 U^1。此时农户使用农机对农业收入减少量的容忍值为 TV，从图 4-5 中直观地看，未充分就业兼业农户 II 的容忍值 TV 较大。

4.3.2.2　未充分就业兼业农户 II 使用农机行为的意愿分析

（1）容忍值大小分析

容忍值 TV 的表达式 $TV = RS \cdot (-\Delta T_f - \Delta T_w) + \Delta T_w \cdot r_w$ 可变换成

$$TV = -\Delta T_f \cdot RS + \Delta T_w (r_w - RS)$$

对未充分就业兼业农户 II 而言，$\Delta T_w > 0$，在达到充分就业之前，农户心理劳动报酬率小于市场非农劳动工资率，即 $r_w > RS$，因此 $\Delta T_w (r_w - RS) > 0$。未充分就业兼业农户 II 由于使用农机后非农劳动时间增加，非农收入提高，其容忍值较未充分就业兼业农户 I 大，容忍值增大的程度为 $\Delta T_w (r_w - RS)$。

（2）实际农业收入变化量分析

一方面，由于未充分就业兼业农户 II 耕地面积较小，使用农机的转移成本 C_{trans} 较大，其单位土地面积使用农机成本 C_{hec} 相对较高；另一方面，未充分就业兼业农户 II 不雇佣或较少雇佣劳动力，其使用农机所替代的其他要素成本的变化量 ΔC_e 较大，因此未充分就业兼业农户 II 使用农机后农业生产成本变化量 ΔC（$\Delta C = S \cdot C_{hec} + \Delta C_e$）较大。

设不同类型农户面临的农产品市场及农机服务市场无差异，则未充分就业兼业农户 II 使用农机前后实际农业收入变化量 ΔY_f（$\Delta Y_f = \Delta Q \cdot p_f - \Delta C$）较小。

（3）农户使用农机的意愿大小

根据以上分析，未充分就业兼业农户Ⅱ使用农机的容忍值 TV 较大，使用农机前后实际农业收入变化量 ΔY_f 较小。即未充分就业兼业农户Ⅱ使用农机前后实际农业收入减少量 $-\Delta Y_f$ 较大，而心理能接受的农业收入减少量 TV 也较大。因而，未充分就业兼业农户Ⅱ使用农机的意愿较未充分就业兼业农户Ⅰ增加。

4.3.2.3　未充分就业兼业农户Ⅱ农机化的突破点

通过以上对未充分就业兼业农户Ⅱ使用农机行为的分析可知，由于使用农机后非农劳动时间增加，使得未充分就业兼业农户Ⅱ使用农机的意愿较未充分就业兼业农户Ⅰ有所增加，并且在达到充分就业之前，非农劳动时间增加越多，未充分就业兼业农户Ⅱ使用农机的意愿越大。

因此，未充分就业兼业农户Ⅱ农机化的突破点是：继续改善其非农就业环境，使其可以获得更多的非农劳动机会，直至达到充分就业，这时未充分就业兼业农户Ⅱ便转化成了充分就业兼业农户。

4.4　充分就业兼业农户使用农机行为分析

4.4.1　充分就业兼业农户使用农机行为的临界点

充分就业兼业农户的主要经济特征是：农户耕作土地面积较小，非农收入是主要收入来源，生产活动不受非农就业机会的限制，使用农机前后非农劳动时间均较多，农户劳动报酬率接近或高于社会平均劳动报酬率，农户劳动收入接近或高于社会平均劳动收入水平。由于经济状况较好，其效用函数曲线相对不那么平缓。根据充分就业兼业农户的这些经济特征，可以得到充分就业兼业农户使用农机的临界状态，如图 4-6 所示。

图 4-6 中，农户在使用农机之前的生产与消费状态为（T_f^1，T_w，r_f^1，r_w；Y^1，T_c^1，U^1）：农户的农业劳动时间为 T_f^1，非农劳动时间为 T_w，农业劳动报酬率为 r_f^1，非农劳动报酬率为 r_w，收入为 Y^1，闲暇时间为 T_c^1，获得的效用水平为 U^1。由于农户使用农机前后非农劳动时间不变，则农户使用农机的临界状态为（T_f^2，T_w，r_f^2，r_w；Y^2，T_c^2，U^1）：农户的农业劳动时间为 T_f^2，非农劳动时间为 T_w，农业劳动报酬率为 r_f^2，非农劳动报酬率为 r_w，收入为 Y^2，闲暇时间为 T_c^2，获得的效用水平为 U^1。此时农户使用农机对农业收入减少量的容忍

值为 TV，从图4-6中直观地看，未充分就业兼业农户 I 的容忍值 TV 较大。

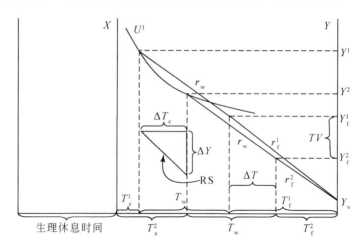

图 4-6　充分就业兼业农户使用农机的决策情况

4.4.2　充分就业兼业农户使用农机的意愿分析

（1）容忍值大小分析

对充分就业兼业农户而言，$\Delta T_w = 0$，所以容忍值其 $TV = RS \cdot (-\Delta T_f)$。一方面，农户使用农机前后农业劳动时间的变化量 ΔT_f 是给定的，且 $\Delta T_f < 0$；另一方面，充分就业兼业农户效用函数曲线相对不那么平缓，以致闲暇对收入的替代率 RS 较大。因此，充分就业兼业农户的 TV 较大。

（2）实际农业收入变化量分析

一方面，由于充分就业兼业农户耕地面积较小，使用农机的转移成本 C_{trans} 较大，其单位土地面积使用农机成本 C_{hec} 相对较高；另一方面，充分就业兼业农户由于主要劳动力从事非农职业，在农忙季节可能会雇佣部分农业劳动力，而农机的使用则可能替代部分雇佣劳动力，使雇佣劳动成本减少，因此充分就业兼业农户使用农机后农业生产成本变化量 ΔC 相对非充分就业农户较小。

设不同类型农户面临的农产品市场及农机服务市场无差异，则充分就业兼业农户使用农机前后实际农业收入变化量 ΔY_f 相对非充分就业农户较大。

（3）农户使用农机的意愿大小

根据以上分析，充分就业兼业农户使用农机的容忍值 TV 较大，使用农机前后实际农业收入变化量 ΔY_f 较大。即充分就业兼业农户使用农机前后实际农业收入减少量 $-\Delta Y_f$ 较小，而心理能接受的农业收入减少量 TV 较大。因而，充分就业兼业农户使用农机的意愿较大。

4.5 充分就业纯农户使用农机行为分析

4.5.1 充分就业纯农户使用农机行为的临界点

充分就业纯农户的特征是：农户耕作土地面积较大，无需从事非农劳动，生产活动不受土地面积的限制，农户劳动报酬率接近或高于社会平均劳动报酬率，农户劳动收入水平接近或高于社会平均劳动收入水平。由于经济状况较好，其效用函数曲线相对不那么平缓。根据充分就业纯农户的这些经济特征，可以得到充分就业纯农户使用农机的临界状态，如图 4-7 所示。

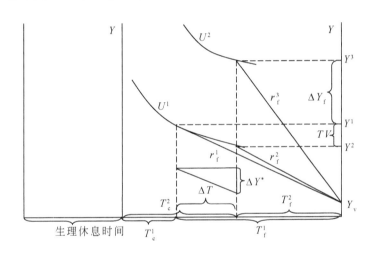

图 4-7　充分就业纯农户使用农机的决策情况

图 4-7 中，由于土地面积较大，如果不使用农机则需要雇佣较多的农业劳动力，农户不使用农机但雇佣劳动的初始生产与消费状态为 $(T_f^1, 0, r_f^1, -; Y^1, T_c^1, U^1)$：农户的农业劳动时间为 T_f^1，非农劳动时间为 0，农业劳动报酬率为 r_f^1，不存在非农劳动报酬率，收入为 Y^1，闲暇时间为 T_c^1，获得的效用水平为 U^1。农户使用农机的临界状态为 $(T_f^2, 0, r_f^2, -; Y^2, T_c^2, U^1)$：农户的农业劳动时间为 T_f^2，非农劳动时间为 0，农业劳动报酬率为 r_f^2，不存在非农劳动报酬率，收入为 Y^2，闲暇时间为 T_c^2，获得的效用水平为 U^1。此时农户使用农机对农业收入减少量的容忍值为 TV，从图 4-7 中直观地看，充分就业纯农户的容忍值 TV 较非充分就业农户大。

4.5.2　充分就业纯农户使用农机的意愿分析

（1）容忍值大小分析

对充分就业纯农户而言，$\Delta T_\mathrm{w} = 0$，所以其容忍值 $\mathrm{TV} = \mathrm{RS} \cdot (-\Delta T_\mathrm{f})$。一方面，农户使用农机前后农业劳动时间的变化量 ΔT_f 是给定的，且 $\Delta T_\mathrm{f} < 0$；另一方面，充分就业纯农户效用函数曲线相对不那么平缓，以致闲暇对收入的替代率 RS 较大。因此，充分就业纯农户的容忍值 TV 较大。

（2）实际农业收入变化量分析

充分就业纯农户耕地面积较大，如果不使用农机而采用雇佣劳动进行农业生产会存在一些问题：一方面，由于农业生产的季节性，长期雇佣足够的劳动力成本太大，如不长期雇用，在农忙季节又较难获得足够合适的劳动力供给；另一方面，由于农业生产是在广阔的田野上进行，并且农业生产成果不到收获季节无法准确计量，这使得雇佣劳动的管理成本较高，并且随着雇佣劳动数量的增加，管理成本增长得更快。

而农机天生就是为规模经营而生，使用农机不仅比雇佣劳动耕作更快、更省心，而且农机自身的各项特征使得其在大面积地块上的使用成本较低，使用农机的成本低于雇佣劳动成本[①]。

一方面，由于充分就业纯农户单位土地面积使用农机成本 C_hec 相对较小；另一方面，充分就业纯农户使用农机可以替代大量的雇佣劳动，因此充分就业纯农户使用农机后农业生产成本变化量 ΔC（$\Delta C = S \cdot C_\mathrm{hec} + \Delta C_\mathrm{e}$）较小，实际农业收入变化量 ΔY_f（$\Delta Y_\mathrm{f} = \Delta Q \cdot p_\mathrm{f} - \Delta C$）较大。如图4-7所示，充分就业纯农户使用农机后的实际状态为（T_f^2, 0, r_f^3, −; Y^3, T_c^2, U^2）：农户的农业劳动时间为 T_f^2，非农劳动时间为 0，农业劳动报酬率为 r_f^3，不存在非农劳动报酬率，收入为 Y^3，闲暇时间为 T_c^2，获得的效用水平为 U^2。农户使用农机后实际农业收入变化量为 $\Delta Y_\mathrm{f} = Y^3 - Y^1$。

（3）农户使用农机的意愿大小

根据以上分析，充分就业纯农户使用农机的容忍值 TV 较大，使用农机前后实际农业收入变化量 ΔY_f 较大。即充分就业纯农户使用农机前后实际农业收入减少量 $-\Delta Y_\mathrm{f}$ 较小，而心理能接受的农业收入减少量 TV 较大。因而，充分就业纯农户使用农机的意愿较大。实际上，充分就业纯农户由于土地面积较大，使用农机不仅可以增加劳动收入，而且可以增加消费闲暇，因此充分就业

[①]　例如，水稻机插比人工手插平均节约成本 450 元/公顷，机收较人工收获节省成本 300 元/公顷（易中懿等，2008）。

纯农户使用农机的意愿最强。

4.6　本章小结

本章分析了不同类型农户使用农机行为。其主要内容如下：

第一，对农户进行了类型划分。根据农户是否充分就业及是否从事非农劳动，将农户分为四类：未充分就业纯农户、充分就业纯农户、未充分就业兼业农户、充分就业兼业农户。

第二，对各类型农户使用农机行为进行了分析。根据不同类型农户面临经济环境特征，对不同类型农户使用农机行为进行了分析，并提出了不同类型农户农机化的突破点。

对未充分就业纯农户而言，其使用农机前后实际农业收入减少量 $-\Delta Y_f$ 较大，而心理能接受的农业收入减少量 TV 较小。因而未充分就业纯农户使用农机的意愿较小。此类农户农机化的突破点应是改善其生产条件，通过增加其耕地面积，或者改善其非农就业环境，使未充分就业纯农户向充分就业纯农户或充分就业兼业农户转化。

对未充分就业兼业农户 I 而言，其与未充分就业纯农户类似，使用农机的意愿较小。由于未充分就业兼业农户 I 有部分非农收入，此类型农户农机化的突破点可着重在改善其非农就业环境，使其可以获得更多的非农劳动机会，使未充分就业兼业农户 I 向充分就业兼业农户转化。

对未充分就业兼业农户 II 而言，未充分就业兼业农户 II 使用农机前后实际农业收入减少量 $-\Delta Y_f$ 较大，而心理能接受的农业收入减少量 TV 也较大。因而，未充分就业兼业农户 II 使用农机的意愿较未充分就业兼业农户 I 增加。此类型农户农机化的突破点，是继续改善其非农就业环境，使其可以获得更多的非农劳动机会，直至达到充分就业，这时未充分就业兼业农户 II 便转化成了充分就业兼业农户。

对充分就业兼业农户而言，充分就业兼业农户使用农机前后实际农业收入减少量 $-\Delta Y_f$ 较小，而心理能接受的农业收入减少量 TV 较大。因而，充分就业兼业农户使用农机的意愿较大。

对充分就业纯农户而言，充分就业纯农户使用农机前后实际农业收入减少量 $-\Delta Y_f$ 较小，而心理能接受的农业收入减少量 TV 较大。因而，充分就业纯农户使用农机的意愿较大。实际上，充分就业纯农户由于土地面积较大，使用农机不仅可以增加劳动收入，而且可以增加消费闲暇，因此充分就业纯农户使用农机的意愿最强。

5

农户使用农机行为的实证分析

5.1 实证分析数据介绍

5.1.1 研究区域的选取及抽样

5.1.1.1 研究区域的选取

由于时间、经费等因素的限制，一项实证研究往往不能穷极所有研究个体，而只能采取抽样的方式，通过研究样本的特征进而得出总体的特征，并且只要所抽取的样本满足一定要求，样本特征是可以在统计学意义上反映总体特征的。

本书从属于国家自然科学基金项目《城市化进程中农户的农地投入变化及其管控政策研究》（70773045）。为建立课题研究的农户基础数据库，课题组于 2008 年 12 月至 2009 年 5 月，组织了一次较全面的农户调查。本次农户调查共花费人力 400 余人次，行程 8000 余公里，走访了 5 省 20 多个县（市、区），共收集有效问卷 2000 余份。本书选取了其中 4 省 18 个县（市、区）的 1340 份样本数据。

本书研究区域的选取主要考虑两大因素：一是社会经济发展因素；二是自然条件因素。从社会经济发展状况考虑，研究区域兼顾了经济较发达的东部沿海地区，经济次发达的中部平原地区及经济欠发达的中部丘陵山区；从自然条件考虑，研究区域兼顾了平原地区与丘陵山区。最终确定的研究区域是：江苏与浙江两省交接的太湖平原地区、湖北的江汉平原地区、湖北的丘陵山区、湖南的洞庭湖平原地区和湖南的丘陵山区，如表 5-1 所示。

5.1.1.2 抽样调查过程

抽样又称取样，是指从欲研究的全部样品中抽取一部分样品单位。其基本要求是要保证所抽取的样品单位对全部样品具有充分的代表性。本书主要采用多元统计方法对农户使用农机行为进行不同侧面的实证，而取得随机样本是统计分析的前提。本书的抽样过程为：在调查区域选定后，为了增加样本的代表性及客观性，首先选择样本区内社会经济条件代表性较高的县（市、区），然后采用分层随机抽样的方法，在每个县（市、区）中选择2~4个乡镇，每个乡镇选择2~4个行政村进行随机农户问卷调查。

所获有效样本按区域分：江苏省与浙江省的太湖平原372份，湖北省江汉平原273份，湖北省丘陵山区292份，湖南省洞庭湖平原152份，湖南省丘陵山区251份，共1340份，如表5-1所示。

表5-1　调查区域及有效样本数

调查区域		调查时间	有效样本数
太湖平原	浙江省嘉兴市平湖市	2009年1月7~9日	98
	浙江省嘉兴市秀洲区	2009年1月10~11日	65
	江苏省苏州市太仓市	2009年1月12~13日	60
	江苏省苏州市吴江市	2009年1月14~15日	72
	江苏省无锡市宜兴市	2009年1月16~17日	77
	小计		372
江汉平原	湖北省荆州市监利县	2008年11月5~7日	127
	湖北省荆州市江陵县	2008年11月8~9日	56
	湖北省荆州市沙市区	2008年11月10~11日	39
	湖北省仙桃市	2008年11月12~13日	51
	小计		273
洞庭湖平原	湖北省长沙市浏阳市	2008年12月25~26日	36
	湖北省长沙市望城县	2008年12月27~29日	79
	湖北省长沙市长沙县	2008年12月30~31日	37
	小计		152
湖北丘陵山区	湖北省孝感市大悟县	2009年5月12~14日	121
	湖北省黄冈市红安县	2009年5月15~17日	112
	湖北省襄樊市南漳县	2009年5月17~18日	59
	小计		292
湖南丘陵山区	湖南省邵阳市洞口县	2009年1月1~2日	82
	湖南省邵阳市隆回县	2009年1月3~4日	95
	湖南省邵阳市邵东县	2009年1月5~6日	74
	小计		251
合计			1340

5.1.2 实证分析数据集

本书的实证分析所涉及的数据统计与计算均采用统计分析软件 SAS 9.2（statistical analysis system）进行。为了保持各项实证分析中数据的统一性与一致性，本书为各项实证分析建立了统一的原始 SAS 数据集，数据集中的数据直接来源于课题组所构建的农户问卷调查基础数据库。

农户基础数据库中的数据涵盖面较广，涉及农户基本特征、农户农业投入情况、农户农业产出情况、农户收支情况、农户投入意愿情况及农户农业生产的其他情况等 6 大方面。根据研究的需要，本书实证分析原始数据集主要从农户问卷调查基础数据中选取了与农户使用农机行为密切相关的 7 方面的数据：农户所属区域、农户劳动力状况、农户时间配置状况（就业状况）、农户耕地面积、使用农机情况、农户收支状况和农户意愿工资状况。实证分析原始数据集涉及的变量情况如表 5-2 所示。

表 5-2 实证分析原始数据集的变量

农户属性项目	所涉及的变量
农户所属区域	农户所属区域、农户具体地址
农户劳动力状况	家庭总人口、家庭劳动人口、非农劳动人口、兼业劳动人口、农业劳动人口
农户时间配置状况	非农劳动时间、兼业时间、农业劳动时间、闲暇时间
农户耕地面积	水田面积、旱地面积
农户使用农机状况	是否使用农机、租用农机价格、租用农机费用
农户收支状况	总收入、非农收入、总支出、农业生产支出
农户意愿工资状况	意愿农业工资、意愿非农工资

调查区域共同的大田作物主要是水稻，水稻种植主要包括耕种、植保和收获三个阶段。目前水稻种植的机械化现状是，机耕水平普遍较高，机播与植保机械化水平较低，而机械收割正处于一个较快发展时期，调查中机收与非机收的样本均较大（使用收割机的样本数为 744，未使用收割机的样本数为 596）。因此，研究农户使用收割机的行为，更具有代表性与典型性。水稻收割机是研究区域农机的典型代表，因此本书通过分析农户使用水稻收割机的行为来反映农户使用农机行为。

实证分析原始 SAS 数据集的数据字典如表 5-3 所示，生成 SAS 数据集的程序代码见附录 1 中 1.1。

表5-3 原始 SAS 数据集的数据字典

字段名	标 签	字段名的英文名称	类型	长 度	单 位	备 注
NO	编号	NO	数字	8	—	
Region	农户所属区域	Region	文本	28	—	
Address	农户具体地址	Address	文本	44	—	
Popular	家庭总人口	Total Population	数字	8	人	
Popu_W	家庭劳动人口	Working Population	数字	8	人	
Popu_NA	非农劳动人口	Non-Agricultural Working Population	数字	8	人	只从事非农劳动的人口
Popu_PA	兼业劳动人口	Part-Time Working Population	数字	8	人	既从事非农劳动又从事农业劳动的人口
Popu_A	农业劳动人口	Agricultural Working Population	数字	8	人	只从事农业劳动的人口
Time_NA	非农劳动时间	Non-Agricultural Working Time	数字	8	月	非农劳动人口的劳动时间
Time_PA	兼业时间	Part-Time Working Time	数字	8	月	兼业劳动人口的非农业劳动时间
Time_A	农业劳动时间	Agricultural Working Time	数字	8	月	农户家庭总的农业劳动时间
Time_L	闲暇时间	Leisure Time	数字	8	月	农户家庭总的闲暇时间
Area_P	水田面积	Paddy Field Area	数字	8	公顷	农户耕种的水田面积
Area_D	旱地面积	Dry Land Area	数字	8	公顷	农户耕种的旱地面积
Y_N	是否使用农机	Whether or Not Use Farm machinery	文本	2	—	使用农机取值为"Y"，否则为"N"
Rent_P	租用农机价格	Rent Price	数字	8	元/公顷	单位面积租用农机的费用
Rent_E	租用农机费用	Rent Expense	数字	8	元	农户租用农机的总费用
Income	总收入	Income	数字	8	元/年	
Inco_NA	非农收入	Non-Agricultural Income	数字	8	元/年	
Expen	总支出	Expenditure	数字	8	元/年	
Expen_P	农业生产支出	Productive Expenditure	数字	8	元/年	
Wage_A	意愿农业工资	Willingness Agricultural Wages	数字	8	元/日	农户受雇于农业生产的心理劳动报酬率
Wage_NA	意愿非农工资	Willingness Non-Agricultural Wages	数字	8	元/月	农户受雇于非农生产的心理劳动报酬率

注：字段 region（农户所属区域）的取值为：taihu（太湖平原）、plane_hubei（江汉平原）、plane_human（洞庭湖平原）、hillarea_hubei（湖北丘陵山区）、hillarea_hunan（湖南丘陵山区）。

5.2 研究区域农户基本情况

本节将从农户家庭劳动力状况、农户时间配置状况、农户收支状况、农户使用农机状况等四个方面，对调研区域农户样本的基本情况进行分析介绍。研究区域农户基本情况分析的 SAS 程序代码见附录 1 中 1.2，本节统计分析显著水平采用 5%。

5.2.1 农户劳动力状况

调研区域农户样本的劳动力状况可通过农户总人口、农户劳动人口和农户农业劳动人口来反映。

调研区域农户样本的劳动力状况如表 5-4 所示。表 5-4 中的"均值"行反映出了全部样本及各区域样本的均值，"区域均值比较"行反映出了不同区域的均值进行多重比较的结果。为了排版简洁，表 5-4 中对不同区域均值的多重比较结果的表述方式进行了简化。以变量户均劳动人口为例，不同区域的均值多重比较结果如表 5-5 所示，如果区域样本均值间差异不显著则在邓肯分组中标上相同的字母，否则标上不同的字母。本例中：江汉平原、湖南丘陵山区、湖北丘陵山区在邓肯分组中同属于 A 组，它们的均值之间无显著差异；湖南丘陵山区、湖北丘陵山区、太湖平原在邓肯分组中属于 B 组，它们的均值之间无显著差异；湖北丘陵山区、太湖平原、洞庭湖平原在邓肯分组中同属于 C 组，它们的均值之间无显著差异。太湖平原在邓肯分组中同时属于 B、C 组，江汉平原在邓肯分组中只属于 A 组，洞庭湖平原在邓肯分组中只属于 C 组，湖北丘陵山区在邓肯分组中同时属于 A、B、C 组，湖南丘陵山区在邓肯分组中同时属于 A、B 组。

表 5-4 调研区域农户劳动力状况

区域 / 样本数 / 变量		全部样本	太湖平原	江汉平原	洞庭湖平原	湖北丘陵山区	湖南丘陵山区
		1 340	372	273	152	292	251
总人口	均值/人	4.11	4.01	4.24	4.00	4.13	4.17
	区域均值比较	—	A	A	A	A	A
劳动人口	均值/人	3.18	3.04	3.40	3.00	3.20	3.26
	区域均值比较	—	BC	A	C	ABC	AB

样本数 区域 变量		全部样本	太湖平原	江汉平原	洞庭湖平原	湖北丘陵山区	湖南丘陵山区
		1 340	372	273	152	292	251
农业劳动人口	均值/人	1.47	1.12	1.91	1.41	1.49	1.52
	区域均值比较	—	C	A	B	B	B

表 5-5　方差分析程序中均值多重比较的输出结果

有相同字母的区域，均值无显著差异

邓肯分组			均值	样本数	区域
A	—	—	3.40	273	江汉平原
A	B	—	3.26	251	湖南丘陵山区
A	B	C	3.20	292	湖北丘陵山区
—	B	C	3.04	372	太湖平原
—	—	C	3.00	152	洞庭湖平原

农户总人口：全部农户样本的户均总人口为 4.11 人。在总人口的区域均值比较中，各区域均为字母 A，表示不同区域户均总人口无显著差异，这说明不同区域的农户家庭规模基本一致。

农户劳动人口：全部农户样本的户均劳动人口为 3.18 人，劳动消费比例为 1.29。各区域均值有显著差异，且江汉平原最高，湖北与湖南丘陵次之，太湖平原与洞庭湖平原较低。

农户农业劳动人口：全部农户样本的户均农业劳动人口为 1.47 人。各区域均值有显著差异，其中江汉平原最高、太湖平原最低，其他区域处于中间水平且无显著差异。

区域农户劳动力状况小结：我国计划生育政策已实行了近 30 年，各区域农户家庭规模基本稳定；江汉平原农户由于耕地面积显著高于其他地区，其户均农业人口最多，太湖平原农户由于较多从事非农生产，其农业人口最少。

5.2.2　农户时间配置状况

调研区域农户样本的时间配置状况可通过农户非农劳动时间、农户农业劳动时间、农户闲暇时间、农户劳动时间占总的可用时间的比率来反映。其中，农户非农劳动时间为非农劳动人口与兼业劳动人口的非农劳动时间之和，农户农业劳动时间为农业劳动人口与兼业劳动人口的农业劳动时间之和。调研区域农户样本的时间配置状况如表5-6所示。

表5-6 调研区域农户时间配置状况

样本数 变量	区域	总体	太湖 平原	江汉 平原	洞庭湖 平原	湖北 丘陵山区	湖南 丘陵山区
		1 340	372	273	152	292	251
耕地面积	均值/公顷	0.477	0.423	0.915	0.306	0.344	0.339
	区域均值比较	—	B	A	B	B	B
非农劳动时间	均值/月	16.91	19.50	14.76	14.81	16.67	16.98
	区域均值比较	—	A	B	B	B	B
农业劳动时间	均值/月	4.17	2.25	8.23	2.38	4.23	3.63
	区域均值比较	—	D	A	D	B	C
闲暇时间	均值/月	17.09	14.70	17.76	18.81	17.44	18.45
	区域均值比较	—	B	A	A	A	A
劳动时间占总 时间的比例	均值/%	52.46	58.46	53.36	45.66	51.42	47.89
	区域均值比较	—	A	B	D	B	D

农户非农劳动时间：全部农户样本的户均非农劳动时间为16.91月。各区域均值有显著差异，其中太湖平原农户非农劳动时间显著多于其他地区，其他地区农户非农劳动时间之间无显著差异。这一状况反映了东部沿海地区农户非农就业环境较好。

农户农业劳动时间：全部农户样本的户均农业劳动时间为4.17月。各区域均值有显著差异，其中江汉平原农户农业劳动时间最多，湖南、湖北丘陵山区次之，太湖平原与洞庭湖平原最少。农户农业劳动时间一方面与农户土地面积有关（江汉平原农户的耕地面积较大），另一方面与种植结构密切相关（太湖平原与洞庭湖平原农户的种植制度较单一，以水稻为主）。

农户闲暇时间：全部农户样本的户均闲暇时间为17.09月。各区域均值有显著差异，其中太湖平原农户闲暇时间显著低于其他地区，其他地区农户闲暇时间之间无显著差异。

农户劳动时间占总的可用时间的比例：全部农户样本的户均劳动时间占总的可用时间的比例为52.46%。各区域均值有显著差异，其中太湖平原农户劳动时间占总的可用时间的比例显著高于其他地区。农户闲暇时间与农户劳动时间比例两项指标进一步说明了经济较发达的太湖平原地区农户的就业更充分。

区域农户时间配置状况小结：太湖平原农户非农就业环境较好，其非农劳动时间显著多于其他地区；江汉平原农户由于耕地面积较多，其农业劳动时间最长；另外由于地形原因，湖北和湖南丘陵山区农户的农业劳动时间要高于太湖平原与洞庭湖平原；太湖平原农户就业较充分，其闲暇时间最少，劳动时间占总的可用时间的比例相应最高。

5.2.3 农户收支状况

调研区域农户样本的收支状况可通过农户总收入、农户非农收入、农户总支出、农户农业生产支出、农户意愿工资来反映。调研区域农户样本的收支状况如表5-7所示。

表5-7　调研区域农户收支状况

样本数　　区域　变量		总体	太湖平原	江汉平原	洞庭湖平原	湖北丘陵山区	湖南丘陵山区
		1 340	372	273	152	292	251
总收入	均值/(元/年)	22 687	35 573	20 386	22 533	13 956	16 340
	区域均值比较	—	A	BC	B	D	CD
非农收入	均值/(元/年)	16 980	28 072	7 854	17 647	12 908	14 801
	区域均值比较	—	A	D	B	C	BC
总支出	均值/(元/年)	14 698	18 782	17 265	15 259	9 468	11 597
	区域均值比较	—	A	A	A	B	B
农业生产支出	均值/(元/年)	3 843	4 219	7 284	4 900	1 102	2 062
	区域均值比较	—	B	A	B	C	C
平均意愿农业工资	均值/(元/天)	67.17	61.88	82.99	74.28	57.74	64.46
	区域均值比较	—	C	A	B	D	C
平均意愿非农工资	均值/(元/月)	1 509.25	1 501.75	1 707.69	1 573.03	1 423.29	1 365.94
	区域均值比较	—	B	A	B	C	C

农户总收入：全部农户样本的户均总收入为22 687元/年。各区域均值有显著差异，其中太湖平原农户总收入最高，江汉平原与洞庭湖平原次之，丘陵山区农户总收入最低。

农户非农收入：全部农户样本的户均非农收入为16 980元/年。各区域均值有显著差异，其中太湖平原农户非农收入最高，江汉平原较低。

农户总支出：全部农户样本的户均总支出为14 698元/年。各区域均值有显著差异，其中平原地区农户总支出显著高于丘陵山地农户总支出。

农户农业生产支出：全部农户样本的户均农业生产支出为3843元/年。各区域均值有显著差异，其中江汉平原耕地面积较大农户农业生产支出最多，太湖平原与洞庭湖平原农户生产支出显著高于湖北与湖南丘陵山区。

农户劳动报酬率：全部农户样本的平均农业心理劳动报酬率为67.17元/天，平均非农心理劳动报酬率为1509.25元/月。各区域均值有显著差异，总的来说，平原地区农户的心理劳动报酬率高于丘陵山区农户的心理劳动报酬率。

区域农户收支状况小结：收支状况及农户心理劳动报酬率状况总的来说，平原地区农户好于丘陵山区农户；太湖平原农户由于非农就业环境较好，其非农收入最高，江汉平原农户由于耕地面积较多，其农业收入与农业生产支出最高。

5.2.4　农户使用农机状况

本书通过分析农户使用水稻收割机的行为来反映农户使用农机行为。调研区域农户样本使用农机状况如表5-8所示。

表5-8　调研区域农户使用农机状况

区　域			总体	太湖平原	江汉平原	洞庭湖平原	湖北丘陵山区	湖南丘陵山区
样本数			1 340	372	273	152	292	251
使用农机的农户样本数			744	329	213	98	33	71
变量	水田面积	均值/公顷	0.355	0.403	0.628	0.283	0.169	0.250
		区域均值比较	—	B	A	BC	C	BC
	使用农机的农户比例	均值/%	55.52	88.44	78.02	64.47	11.30	28.29
		区域均值比较	—	A	B	C	E	D
	农户使用农机费用支出	均值/(元/年)	312.37	475.09	512.09	393.62	20.81	143.96
		区域均值比较	—	A	A	A	B	B
	租用农机价格	均值/(元/公顷)	1 229.58	1 207.50	1 094.44	1 245.15	1 136.36	1 759.23
		区域均值比较	—	BC	D	B	CD	A

农户使用农机的比例：使用农机的农户数占全部农户样本的比例为55.52%。各区域有显著差异，其中太湖平原使用农机的农户所占比例最高，江汉平原与洞庭湖平原次之，湖北与湖南丘陵山区使用农机的农户所占比例较低。

农户租用农机费用支出：在全部农户样本中，户均使用农机费用支出为

312.37 元/年。各区域均值有显著差异，其中平原地区农户使用农机费用支出显著高于丘陵山区农户。

农户租用农机价格：在全部农户样本中，租用农机平均价格为 1229.58 元/公顷。各区域均值有显著差异，其中湖南丘陵山区显著高于其他地区，且湖北地区租用农机价格低于太湖平原与洞庭湖平原。

区域农户收支状况小结：农户使用农机状况总的来说也是平原地区农户好于丘陵山区农户，而农户使用农机行为的具体规律需要进一步的分析。

5.3 农户使用农机行为影响因素分析

根据前文的理论分析，农户使用农机行为影响因素包括四大方面：农户非农就业环境、农户初始经济状况、农机作业效果和农产品市场状况。本节将采用农户调查数据对农户使用农机行为影响因素进行实证分析。

5.3.1 Logistic 回归模型介绍

在社会科学中，大量的观测因变量是二分类测量（即 $y=1$ 或 $y=0$），Logistic 回归模型是分析二分类因变量最常用的统计分析模型之一。Logistic 回归属于非线性回归，Logistic 回归的参数估计一般采用最大似然估计法。

（1）Logistic 回归模型估计的假设条件

Logistic 回归模型估计的一些假设条件与 OLS 回归类似：第一，分析数据需来自于随机样本；第二，因变量 y_i 被假设为 K 个自变量 x_{ki} 的函数；第三，自变量之间不存在多元共线性关系或自变量之间的多元共线性程度在可接受的范围内。

Logistic 回归模型估计的一些假设条件与 OLS 回归不同：第一，因变量 y_i 是二分变量，因变量只能取 1 或 0，即研究的对象是事件发生的条件概率 $P(y_i=1 \mid x_i)$；第二，自变量与因变量之间的关系是非线性的；第三，Logistic 回归模型不需要自变量的分布假设，自变量可以是连续，也可以是离散，还可以是虚拟的（王济川和郭志刚，2001）。

（2）Logistic 回归模型的原理

假设存在一个连续反应变量 y_i^*，$y_i^* \in (-\infty, +\infty)$ 代表事件发生的可能性，设当 $y_i^* > 0$ 时，表示事件发生（$y_i=1$）；当 $y_i^* \leqslant 0$ 时，表示事件不发生（$y_i=0$）。

设 y_i^* 与自变量 x_i 之间存在线性关系，即 $y_i^* = a + \beta x_i + \varepsilon_i$。于是有

$$P(y_i = 1 \mid x_i) = P\left[(a + \beta x_i + \varepsilon_i) > 0\right]$$
$$= P\left[\varepsilon_i > -a - \beta x_i\right]$$

设 ε_i 为 Logistic 分布，由于 Logistic 分布具有对称性，因此有

$$P(y_i = 1 \mid x_i) = P\left[\varepsilon_i \leqslant a + \beta x_i\right]$$
$$= F(a + \beta x_i)$$

式中，F 为 ε_i 的累积分布函数，根据 Logistic 分布累积函数的形式，则有

$$P(y_i = 1 \mid x_i) = P\left[\varepsilon_i \leqslant a + \beta x_i\right]$$
$$= \frac{1}{1 + e^{-(a + \beta x_i)}}$$

事件发生概率 P 是 $(a + \beta x_i)$ 的单调函数，且当 $(a + \beta x_i)$ 在正无穷与负无穷之间变化时，P 在 0 与 1 之间变化。令 $p_i \equiv P(y_i = 1 \mid x_i)$，于是有

$$p_i = \frac{1}{1 + e^{-(a + \beta x_i)}} \Rightarrow \frac{p_i}{1 - p_i} = e^{(a + \beta x_i)}$$

p_i 表示事件发生的概率，$1 - p_i$ 表示事件不发生的概率，$\dfrac{p_i}{1 - p_i}$ 被称为事件的发生比（the odds of experiencing an event, odds）。将 $\dfrac{p_i}{1 - p_i}$ 取对数，则有

$$\ln\left(\frac{p_i}{1 - p_i}\right) = a + \beta x_i$$

如果有 K 个自变量，公式可扩展为

$$\ln\left(\frac{p_i}{1 - p_i}\right) = a + \sum_{k=1}^{K} \beta_k x_{ki}$$

这就是 Logistic 回归模型的方程式。

（3）Logistic 回归模型系数的解释

设 p_i 代表农户 i 使用农机的概率，农户 i 使用农机这一事件的发生比率为

$$\text{odds} = \frac{p_i}{1 - p_i} = \exp\left(a + \sum_{k=1}^{K} \beta_k x_{ki}\right)$$

则农户 i 使用农机的概率为

$$p_i = \frac{\text{odds}}{1 + \text{odds}} = \frac{\exp\left(a + \sum_{k=1}^{K} \beta_k x_{ki}\right)}{1 + \exp\left(a + \sum_{k=1}^{K} \beta_k x_{ki}\right)}$$

由此可求得变量 x_k 对事件发生概率的偏作用为

$$\frac{\partial P(y = 1 \mid x)}{\partial x_k} = \frac{\partial\left(\dfrac{\text{odds}}{1 + \text{odds}}\right)}{\partial x_k} = \beta_k p(1 - p)$$

可见，变量 x_k 对事件发生概率的偏作用等于自变量回归系数 β_k 与 p $(1-p)$ 的乘积。p $(1-p)$ 恒大于 0，偏作用的符号由 β_k 决定。偏作用的大小取决于 β_k 的大小，以及对应于 x_k 特定的概率 p 的大小，而概率 p 与模型中其他自变量有关（王济川，2001）。自变量的离散变化量 Δ，对事件发生概率的偏作用计算公式如下：

$$\Delta p = P[y = 1 \mid x, x_k + \Delta] - P[y = 1 \mid x, x_k]$$

本书均以各变量取均值时的事件发生概率 $\bar{p}$ 为基准，计算各变量单位变化量对事件发生概率的偏作用。

5.3.2 变量的选取

实证变量的选取过程主要考虑了以下三个方面。

（1）数据的可获得性

所选择的实证变量均可以在已构建的原始 SAS 数据集所含变量的基础上计算得到。

（2）自变量的选取

选取的自变量应能与理论分析中农户使用农机行为的影响因素对应。在农户调查中，未能获得理论分析中所涉及的全部变量数据，实证分析中采用了与影响因素类型相关的变量进行替代，如表 5-9 所示。各自变量的含义说明如下。

表 5-9 原始变量与处理变量对照表

理论分析中农户使用农机行为影响因素	理论分析中的变量	实证分析采用的自变量	预计作用方向
农户非农就业环境	非农劳动时间变化量	非农劳动时间比率	+
	非农劳动报酬率	意愿非农工资	+
农户初始经济状况	农户心理劳动报酬率	意愿农业工资	+
		劳动消费比例	−
农机作业效果 1	农业劳动时间变化量	水田面积	+
农机作业效果 2	农业产量变化量		
农机作业效果 3	农业生产成本变化量		
农产品市场状况	农产品价格	—	

非农劳动时间比率（R_NA）：指农户非农劳动时间占总可用劳动时间的比率，其反映了农户非农就业环境。在我国现阶段，农户非农劳动时间比率越

大，农户非农就业环境就越好。

意愿非农工资（Wage_NAd）：指农户受雇于非农生产愿意接受的最低工资。农户意愿非农工资，一方面反映了农户非农就业环境，一般来说市场非农工资较高，农户意愿非农工资也会提高；另一方面又受农户自身经济状况的影响，农户经济状况越好，其意愿非农工资越高。

意愿务农工资（Wage_Ad）：指农户受雇于农业生产愿意接受的最低工资。农户意愿务农工资，一方面反映了农业劳动力市场的供需状况，另一方面也反映了农户自身经济状况的影响。农户经济状况越好，其愿意务农工资越高。

劳动消费比率（R_LC）：指总人口与劳动人口的比率，其反映了农户劳动力的经济负担。劳动消费比率越大，单位劳动人口供养的消费人口就越多，其经济负担就越重。

水田面积（Area_Pd）：农户调查中没有系统地获得农户使用农机三大效果的数据，但就水稻收割机而言，农户的水田面积大致可以反映农户使用农机三大效果的情况。一般来说，水田面积越大，使用农机的各项效果就越好。

对于农产品市场价格，由于存在粮食收购价政策，各调查区域的粮食价格基本一致，因此未选取反映粮食价格的相应变量。

（3）因变量的确定

由于整个实证分析的对象是农户样本使用水稻收割机的行为，因此因变量选定为"农户是否使用收割机"。

本书拟采用 Logistics 回归模型来分析实证自变量与因变量的关系。为了使回归模型中自变量系数更易读，特对实证自变量的单位进行了适当调整。如水田面积的原单位是公顷，而在处理中缩小到 0.1 公顷；意愿工资的单位原为元/月（或元/日），而在处理中扩大到 100 元/月；劳动消费比率与非农劳动时间比率的原单位是 100 个百分点，而在处理中缩小到 10 个百分点。实证变量与原始数据集中变量的转换关系如表 5-10 所示。

表 5-10　实证变量与原始数据集中变量的对应关系

原始数据集中变量	单　位	实证变量	单　位	转换公式
水田面积 （Area_P）	公顷	水田面积 （Area_Pd）	0.1 公顷	$Area\_P \times 10$
意愿务农工资 （Wage_A）	元/天	意愿务农工资 （Wage_Ad）	100 元/月	$Wage\_A \times 30/100$

原始数据集中变量	单 位	实证变量	单 位	转换公式
意愿非农工资 （Wage_NA）	元/月	意愿非农工资 （Wage_NAd）	100 元/月	Wage_NA/100
是否使用收割 机（Y_N）	—	是否使用收割机 （Y_N）	—	直接选用
家庭总人口 （Popular）	人	劳动消费比率 （R_LC）	10 个百分点	Popular/Popu_W×10
家庭劳动人口 （Popu_W）	人			
非农劳动时间 （Time_NA）	月	非农劳动时间 比率（R_NA）	10 个百分点	（Time_NA + Time_PA） /（Popu_W×12）×10

5.3.3 数据分析过程

统计分析程序代码见附录 1 1.3。统计分析中主要调用了总体均值估计过程 UNIVARIATE 和 Logistic 回归模型过程 LOGISTIC，统计分析的主要输出结果如表5-11 至表5-13 所示。

表 5-11 实证变量总体均值估计结果表

变 量	标 签	均 值	标准差	最小值	最大值
R_LC	劳动消费比率	13.625	4.932	10.000	50.000
R_NA	非农劳动时间比率	4.026	2.629	0	9.583
Area_Pd	水田面积	3.553	9.081	0	282.000
Wage_Ad	农户意愿务农工资	20.150	5.511	7.500	33.000
Wage_NAd	农户意愿务工工资	15.093	4.364	5.000	30.000

表 5-12 Logistic 回归模型拟合度及零假设检验结果表

Model Fit Statistics			Testing Global Null Hypothesis: BETA = 0			
Criterion	Intercept Only	Intercept and Covariates	Test	Chi-Square	DF	Pr > ChiSq
AIC	1 843.255	1621.143	Likelihood Ratio	232.112 1	5	<0.000 1
SC	1 848.455	1 652.345	Score	167.017 5	5	<0.000 1
−2 Log L	1 841.255	1 609.143	Wald	161.819 4	5	<0.000 1

表 5-13　Logistic 回归模型的系数估计及发生比率估计结果表

	DF	系　数	标准误差	Wald 值	P 值	发生比率	95% 置信区间	
							下限	上限
Intercept	1	−2.834 8	0.340 9	69.156 9	<0.000 1	—	—	—
R_LC	1	−0.032 0	0.012 1	6.971 9	0.008 3	0.969	0.946	0.992
R_NA	1	0.126 8	0.023 1	30.221 6	<0.000 1	1.135	1.085	1.188
Area_Pd	1	0.204 6	0.030 0	46.584 8	<0.000 1	1.227	1.157	1.301
Wage_Ad	1	0.079 6	0.012 6	39.778 1	<0.000 1	1.083	1.056	1.110
Wage_NAd	1	0.054 9	0.015 0	13.387 1	0.000 3	1.056	1.026	1.088

　　由于 Logistic 回归模型中系数估计结果只能判断自变量对事件发生概率的作用方向，自变量对事件发生概率的具体作用大小，需要计算各自变量对事件发生概率的偏作用。下面将以各自变量取均值时的事件发生概率 $\bar{p}$ 为基准，讨论各自变量单位变化量对农户使用农机行为的偏作用，计算结果如表 5-14 所示。

表 5-14　各变量单位变化量对事件发生概率的偏作用

变　量	系　数	发生比率	均值	对 p 的偏作用/%
Intercept	−2.834 8	—	—	—
R_LC	−0.032 0	0.969	13.625	−0.77
R_NA	0.126 8	1.135	4.026	3.01
Area_Pd	0.204 6	1.227	3.553	4.80
Wage_Ad	0.079 6	1.083	20.150	1.90
Wage_NAd	0.054 9	1.056	15.093	1.31

各变量取均值时对应的事件发生概率 $\bar{p}$ =59.85/%

5.3.4　实证结果分析

　　表 5-12 的分析结果显示，Logistic 回归模型通过了拟合度及零假设检验。表 5-13 的分析结果显示，5 个解释变量均在 1% 的水平下显著不等于 0。各自变量系数估计结果中，劳动消费比率（R_LC）的系数为负，其他自变量系数均为正，自变量对农户使用农机行为的作用方向与理论分析一致。实证的 Logistic 回归模型为

$$\ln\left(\frac{p}{1-p}\right) = -2.8348 - 0.0320 \times R\_LC + 0.1268 \times R\_NA + 0.2046$$
$$\times Area\_Pd + 0.0796 \times Wage\_Ad + 0.0549 \times Wage\_NAd$$

从表 5-14 中可读到，各变量取均值时，农户使用农机的概率 $\bar{p}$ =59.85%。

以此为基准，当劳动消费比率（R_LC）增加一个单位即 10 个百分点时，农户使用农机的概率 p 下降 0.77%；当非农劳动时间比率（R_NA）增加 10 个百分点时，农户使用农机的概率 p 上升 3.01%；当水田面积（Area_Pd）增加 0.1 公顷时，农户使用农机的概率 p 上升 4.80%；当农户意愿务农工资（Wage_Ad）增加 100 元/月时，农户使用农机的概率 p 上升 1.90%；当农户意愿非农工资（Wage_NAd）增加 100 元/月时，农户使用农机的概率 p 上升 1.31%。

实证分析的各变量对农户使用农机行为的影响方向，与理论分析是一致的。从影响程度来看：非农劳动时间比率（R_NA）与水田面积（Area_Pd）对农户使用农机行为影响最大；农户意愿务农工资（Wage_Ad）与农户意愿非农工资（Wage_NAd）的影响次之；劳动消费比率（R_LC）对农户使用农机行为影响最小。

从各变量取值变动的可能区间来看：由于家庭规模趋向稳定，劳动消费比率（R_LC）的变动范围较小，其对农户使用农机行为影响有限。随着我国城市化的推进，农业人口将不断减少，农户耕地面积提升的空间较大，农地的规模经营将是农业机械化进程的重要推动力之一。随着城镇化的发展，非农劳动时间比率（R_NA）也有一定的提升空间，农户非农就业环境的改善也将是推动农业机械化的重要因素之一。特别是在中国这样一个人多地少的国家，农业的机械化必然在长期内与"农户兼业化"相伴①。农户意愿务农工资 Wage_Ad 与农户意愿务工工资 Wage_NAd 的提高则依赖于社会生产力的发展与农户收入的整体提高，一方面农户收入的整体提高可以促进农业机械化进程，另一方面农户收入的整体提高又需要通过农业的机械化来实现。

5.4 地形对农户使用农机行为的影响

地理环境对人类社会发展有重要影响，甚至长期以来，人们认为地理环境是人类社会发展的决定性因素②。地理环境也对农业机械化进程有重要影响，

---

① 目前全球的农业机械化进程，可分为两类：一类是欧美地区包括澳大利亚在内的"专业型"农业机械化；一类是以日本、韩国为代表的"兼业型"的农业机械化，具体见章节 6.2.2 中的分析。

② 这一观点被称为地理环境决定论，简称"决定论"。决定论者认为地理环境是人类社会发展的决定性因素。"决定论"萌芽于古希腊时代，希波克拉底认为人类特性产生于气候；柏拉图认为人类精神生活与海洋影响有关。公元前 4 世纪亚里士多德认为地理位置、气候、土壤等影响个别民族特性与社会性质。16 世纪初期法国历史学家、社会学家博丹在他的著作《论共和国》中认为，民族差异起因于所处自然条件的不同，不同类型的人需要不同形式的政府。近代决定论思潮盛行于 18 世纪，由哲学家和历史学家率先提出，被称为社会学中的地理派，或历史的地理史观。法国启蒙哲学家孟德斯鸠在《论法的精神》一书中，将亚里士多德的论证扩展到不同气候的特殊性对各民族生理、心理、气质、宗教信仰、政治制度的决定性作用，认为"气候王国才是一切王国的第一位"，热带地方通常为专制主义笼罩，温带形成强盛与自由之民族。

特别表现在地形对农业机械化进程的影响。地形对农户使用农机行为的影响主要通过两个途径表现：一方面，地形通过影响农户使用农机的效果而直接影响农户使用农机行为；另一方面地形通过影响农户的社会经济状况，进而间接影响农户使用农机行为。一般来说，平坦的地形有利于农机的推广，而起伏的地形不利于农机的推广。

5.3 节中研究了农户就业环境、农户心理劳动报酬、农户耕地面积等因素对农户使用农机行为的影响。而地形与这些因素之间也存在复杂的相关关系，平原地区农户的经济环境总体上要优于丘陵山区农户。本节将在上节分析的基础上，将地形变量加入 Logistic 回归模型，进而分析地形对农户使用农机行为的影响。

5.4.1　地形变量的设置

调查区域中主要有两种地形：平原和丘陵。本节将采用虚拟变量 Terrain 来反映农户所属区域的地形，并设定：平原地区农户对应的 Terrain = 1，丘陵山区农户对应的 Terrain = 2。

5.4.2　数据分析过程

统计分析程序代码见附录 1 中 1.4。统计分析中主要调用了总体均值估计过程 MEANS 与 Logistic 回归模型过程 LOGISTIC，统计分析的主要输出结果如表 5-15 至表 5-18 所示。

表 5-15　自变量总体均值估计结果表

地　形	变　量	样本数	均值	标准差	最小值	最大值
平原	R_LC	797	13.571	4.873	10.000	50.000
	R_NA	797	4.166	2.792	0	9.583
	Area_Pd	797	4.570	11.545	0	282.000
	Wage_Ad	797	21.442	5.856	7.500	33.000
	Wage_NAd	797	15.859	4.365	8.000	30.000
丘陵	R_LC	543	13.704	5.021	10.000	50.000
	R_NA	543	3.820	2.355	0	9.167
	Area_Pd	543	2.062	2.060	0	24.200
	Wage_Ad	543	18.254	4.316	10.500	33.000
	Wage_NAd	543	13.968	4.114	5.00	25.000

表 5-16 Logistic 回归模型拟合度及零假设检验结果表

Model Fit Statistics			Testing Global Null Hypothesis：BETA = 0			
Criterion	Intercept Only	Intercept and Covariates	Test	Chi-Square	DF	Pr > ChiSq
AIC	1843.255	1261.140	Likelihood Ratio	594.1143	6	<0.0001
SC	1848.455	1297.543	Score	526.4144	6	<0.0001
−2Log L	1841.255	1247.140	Wald	398.0772	6	<0.0001

表 5-17 Logistic 回归模型系数估计及发生比率估计结果表

	DF	系数	标准误差	Wald 值	P 值	发生比率	95% 置信区间	
							下限	上限
Intercept	1	1.9640	0.4641	17.9089	<0.0001	—	—	—
R_LC	1	−0.0378	0.0138	7.542	0.006	0.963	0.937	0.989
R_NA	1	0.1080	0.0272	15.7812	<0.0001	1.114	1.056	1.175
Area_Pd	1	0.1153	0.0297	15.1103	0.0001	1.122	1.059	1.189
Wage_Ad	1	0.0539	0.0149	13.1049	0.0003	1.055	1.025	1.087
Wage_NAd	1	0.0373	0.0178	4.4022	0.0359	1.038	1.002	1.075
Terrain	1	−2.5636	0.1466	305.6793	<0.0001	0.077	0.058	0.103

令 Terrain = 1，其他自变量取均值时的事件发生概率 $\overline{p^1}$ 为基准，计算出平原地区农户各自变量单位变化量对农户使用农机行为的偏作用。令 Terrain = 2，其他自变量取均值时的事件发生概率 $\overline{p^2}$ 为基准，计算出丘陵山区农户各自变量单位变化量对农户使用农机行为的偏作用。计算结果如表 5-18 所示。

表 5-18 各变量单位变化量对事件发生概率的偏作用

变 量	系 数	均 值		对 p 的偏作用/%	
		平原地区	丘陵山区	平原地区	丘陵山区
Intercept	1.9640	—	—	—	—
R_LC	−0.0378	13.571	13.704	−0.53	−0.55
R_NA	0.1080	4.166	3.820	1.44	1.64
Area_Pd	0.1153	4.570	2.062	1.54	1.75
Wage_Ad	0.0539	21.442	18.254	0.73	0.80
Wage_NAd	0.0373	15.859	13.968	0.51	0.55
Terrain	−2.5636	1	2	—	—

$$\overline{p^1} = 83.36\% ，\ \overline{p^2} = 17.86\% ，\ \overline{p^1} - \overline{p^2} = 65.50\%$$

5.4.3 实证结果分析

表 5-16 的分析结果显示，Logistic 回归模型通过了拟合度及零假设检验。表 5-17 的分析结果显示，6 个解释变量均在 5% 的水平下显著不等于 0。地形变量 Terrain 的系数为负，表示地形从平原变化到丘陵，农户使用农机的概率下降。其他自变量系数估计结果中，作用方向与理论分析一致。实证的 Logistic 回归模型为

$$\ln\left(\frac{p}{1-p}\right) = 1.9640 - 0.0378 \times R\_LC + 0.1080 \times R\_NA + 0.1153 \times Area\_Pd$$
$$+ 0.0539 \times Wage\_Ad + 0.0373 \times Wage\_NAd - 2.5636 \times Terrain$$

从表 5-18 中可读到，当 Terrain = 1 且其他自变量取均值时，事件发生概率 $\overline{p^1}$ = 83.36%，代表各自变量取均值时平原地区农户使用农机的概率为 83.36%。当 Terrain = 2 且其他自变量取均值时，事件发生概率 $\overline{p^2}$ = 17.86%，代表各自变量取均值时丘陵山区农户使用农机的概率为 17.86%。在其他自变量取均值的情况下，平原地区农户使用农机的概率比丘陵山区高 65.50%。由于地形因素与其他自变量之间的复杂相关关系，地形变量的引入，使得其他自变量对农户使用农机概率的偏作用整体下降，但相对大小保持稳定，仍然是 R_NA 与 Area_Pd 的偏作用较大，Wage_Ad 与 Wage_Nad 的偏作用较小。

另外，丘陵山区农户使用农机行为对自变量的变化较敏感，即自变量对丘陵山区农户使用农机概率的偏作用要大于平原地区。如非农劳动时间比率同样提高 10%，平原地区农户使用农机概率增加 1.44%，而丘陵山区农户使用农机概率增加 1.64%。

5.5 不同类型农户使用农机行为分析

第 4 章分析了不同类型农户使用农机行为的差异，本节将在 5.3 节分析的基础上，引入农户类型变量，对不同类型农户使用农机行为的差异进行实证分析。

5.5.1 农户类型变量的设置

根据农户是否从事非农劳动及农户是否充分就业，将农户分为四类：未充分就业纯农户、充分就业纯农户、未充分就业兼业农户和充分就业兼业

农户。

农户是否从事非农劳动较易判断，而农户是否充分就业，本书的判断方法是看农户收入是否达到社会平均水平。在实证分析中采用"农户劳均收入"（单位劳动力的收入）来反映农户收入，以消除农户家庭规模对收入的影响。

社会平均收入水平可以在公开的统计资料上查询到，但考虑到调查的农户收入数据与公开的统计数据相比，可能产生系统误差，因此更好的方法是根据调查的农户收入数据，设定一个社会平均收入水平。为了便于比较分析，本节采用了两个社会平均收入水平标准：农户劳均收入数据的均值、农户劳均收入数据的3/4分位数。采用3/4分位数作为社会平均收入水平，是考虑到农户的平均收入可能低于社会平均水平。

本节引入两个虚拟变量：Style1与Style2来代表农户类型，设定农户劳均收入大于设定标准时Style1 = 1，农户劳均收入小于设定标准时Style1 = 2；农户无非农劳动时Style2 = 1，农户有非农劳动时Style2 = 2。因此，当（Style1，Style2）= (1,1)时，代表充分就业纯农户；当（Style1,Style2）= (1,2)时，代表充分就业兼业农户；当（Style1,Style2）= (2,1)时，代表未充分就业纯农户；当（Style1,Style2）= (2,2)时，代表未充分就业兼业农户。

5.5.2 数据分析过程

5.5.2.1 采用均值作为收入评判标准

统计分析程序代码见附录1中1.5。统计分析中主要调用了总体均值估计过程MEANS与Logistic回归模型过程LOGISTIC，统计分析的主要输出结果如表6-19至表5-22所示。

表5-19 不同类型农户自变量总体均值估计结果表

Style1	Style2	变 量	N	均 值	标准差	最小值	最大值
1	1	R_LC	66	15.833	5.166	10.000	30.000
		R_NA	66	0	0	0	0
		Area_Pd	66	11.745	35.866	0.000	282.000
		Wage_Ad	66	21.250	5.466	13.500	31.500
		Wage_NAd	66	16.364	4.446	8.000	24.000
		PC_Inco	66	18 951.780	22 366.830	7 992.500	182 947.500

Style1	Style2	变 量	N	均 值	标准差	最小值	最大值
1	2	R_LC	383	14.916	5.625	10.000	50.000
		R_NA	383	5.583	2.203	0.417	9.583
		Area_Pd	383	4.044	6.464	0.000	64.000
		Wage_Ad	383	19.837	5.525	7.500	33.000
		Wage_NAd	383	15.569	4.307	8.000	30.000
		PC_Inco	383	15 742.190	14 891.500	7 796.670	165 000.000
2	1	R_LC	183	12.260	4.991	10.000	50.000
		R_NA	183	0	0	0	0
		Area_Pd	183	2.574	2.342	0	13.600
		Wage_Ad	183	19.975	5.481	10.500	33.000
		Wage_NAd	183	15.128	4.358	6.000	30.000
		PC_Inco	183	2 709.230	2 294.760	0	7 666.400
2	2	R_LC	708	13.073	4.238	10.000	50.000
		R_NA	708	4.612	1.783	0.417	9.167
		Area_Pd	708	2.777	2.587	0	25.600
		Wage_Ad	708	20.263	5.511	9.000	33.000
		Wage_NAd	708	14.707	4.348	0.500	30.000
		PC_Inco	708	3 740.020	2 286.910	0	7 775.000

表 5-20 Logistic 回归模型拟合度及零假设检验结果表

Model Fit Statistics			Testing Global Null Hypothesis：BETA = 0			
Criterion	Intercept Only	Intercept and Covariates	Test	Chi-Square	DF	Pr > ChiSq
AIC	1843.255	1584.165	Likelihood Ratio	273.0896	7	< 0.0001
SC	1848.455	1625.769	Score	208.3144	7	< 0.0001
−2 Log L	1841.255	1568.165	Wald	187.7260	7	< 0.0001

表 5-21 Logistic 回归模型系数估计及发生比率估计结果表

	DF	系数	标准误差	Wald 值	P 值	发生比率	95% 置信区间	
							下限	上限
Intercept	1	−0.3715	0.5239	0.5030	0.4782			
R_LC	1	−0.0463	0.0130	12.7128	0.0004	0.955	0.931	0.979
R_NA	1	0.1735	0.0357	23.6601	< 0.0001	1.189	1.109	1.276

	DF	系数	标准误差	Wald 值	P 值	发生比率	95% 置信区间	
							下限	上限
Area_Pd	1	0.1962	0.0308	40.5884	<0.0001	1.217	1.145	1.292
Wage_Ad	1	0.0892	0.0130	47.0399	<0.0001	1.093	1.066	1.122
Wage_NAd	1	0.0471	0.0153	9.4626	0.0021	1.048	1.017	1.080
Style1	1	-0.7414	0.1418	27.3388	<0.0001	0.476	0.361	0.629
Style2	1	-0.6931	0.2350	8.7008	0.0032	0.500	0.315	0.792

令（Style1，Style2）=（1，1），其他自变量取均值时的事件发生概率$\overline{p^1}$为基准，计算出各自变量单位变化量对充分就业纯农户使用农机行为的偏作用。令（Style1，Style2）=（1，2），其他自变量取均值时的事件发生概率$\overline{p^2}$为基准，计算出各自变量单位变化量对充分就业兼业农户使用农机行为的偏作用。令（Style1，Style2）=（2，1），其他自变量取均值时的事件发生概率$\overline{p^3}$为基准，计算出各自变量单位变化量对未充分就业纯农户使用农机行为的偏作用。令（Style1，Style2）=（2，2），其他自变量取均值时的事件发生概率$\overline{p^4}$为基准，计算出各自变量单位变化量对未充分就业兼业农户使用农机行为的偏作用。计算结果见表 5-22。

表 5-22　不同类型农户各变量单位变化量对使用农机概率的偏作用

变　量	系　数	均　值				对 p 的偏作用/%			
		类型 1	类型 2	类型 3	类型 4	类型 1	类型 2	类型 3	类型 4
Intercept	-0.3715	—	—	—	—	—	—	—	—
R_LC	-0.0463	15.833	14.916	12.260	13.073	-0.25	-0.72	-1.14	-1.12
R_NA	0.1735	0	5.583	0	4.612	0.87	2.53	4.21	4.12
Area_Pd	0.1962	11.745	4.044	2.574	2.777	0.97	2.84	4.75	4.64
Wage_Ad	0.0892	21.250	19.837	19.975	20.263	0.46	1.34	2.18	2.14
Wage_NAd	0.0471	16.364	15.569	15.128	14.707	0.25	0.72	1.15	1.13
Style1	-0.7414	1	1	2	2	—	—	—	—
Style2	-0.6931	1	2	1	2	—	—	—	—
$\overline{p^1}=94.28\%$，$\overline{p^2}=80.95\%$，$\overline{p^3}=56.36\%$，$\overline{p^4}=59.17\%$									

5.5.2.2　采用 3/4 分位数作为作为收入评判标准

统计分析程序代码见附录 1　1.5。统计分析中主要调用了总体均值估计过程 MEANS 与 Logistic 回归模型过程 LOGISTIC，统计分析的主要输出结果如

表 5-23 至表 5-26 所示。

表 5-23 不同类型农户自变量总体均值估计结果表

Style1	Style2	变 量	N	均 值	标准差	最小值	最大值
1	1	R_LC	51	16.405	5.200	10.000	30.000
		R_NA	51	0	0	0	0
		Area_Pd	51	13.586	40.623	0	282.000
		Wage_Ad	51	20.676	5.485	13.500	31.500
		Wage_NAd	51	16.706	4.409	8.000	24.000
		PC_Inco	51	21 948.860	24 697.180	10 000.000	182 947.500
1	2	R_LC	284	15.076	5.415	10.000	50.000
		R_NA	284	5.649	2.302	0.417	9.583
		Area_Pd	284	4.243	7.276	0	64.000
		Wage_Ad	284	19.838	5.525	7.500	31.500
		Wage_NAd	284	15.903	4.223	8.000	30.000
		PC_Inco	284	18 162.110	16 626.790	10 000.000	165 000.000
2	2	R_LC	198	12.384	4.977	10.000	50.000
		R_NA	198	0	0	0	0
		Area_Pd	198	2.795	2.723	0	18.000
		Wage_Ad	198	20.220	5.507	10.500	33.000
		Wage_NAd	198	15.134	4.359	6.000	30.000
		PC_Inco	198	3 167.750	2 732.530	0	9 630.000
2	2	R_LC	807	13.243	4.541	10.000	50.000
		R_NA	807	4.697	1.797	0.417	9.167
		Area_Pd	807	2.863	2.661	0	25.600
		Wage_Ad	807	20.210	5.514	9.000	33.000
		Wage_NAd	807	14.695	4.355	0.500	30.000
		PC_Inco	807	4 360.780	2 720.010	0	9 970.000

表 5-24 Logistic 回归模型拟合度及零假设检验结果表

Model Fit Statistics			Testing Global Null Hypothesis：BETA = 0			
Criterion	Intercept Only	Intercept and Covariates	Test	Chi-Square	DF	Pr > ChiSq
AIC	1843.255	1589.231	Likelihood Ratio	268.0234	7	<0.0001
SC	1848.455	1630.835	Score	199.9518	7	<0.0001
−2 Log L	1841.255	1573.231	Wald	183.5824	7	<0.0001

表 5-25 Logistic 回归模型系数估计及发生比率估计结果表

| | DF | 系 数 | 标准误差 | Wald 值 | P 值 | 发生比率 | 95% 置信区间 | |
							下限	上限
Intercept	1	−0.3444	0.5416	0.4044	0.5249			
R_LC	1	−0.0444	0.0130	11.6628	0.0006	0.957	0.932	0.981
R_NA	1	0.1806	0.0356	25.7887	<0.0001	1.198	1.117	1.284
Area_Pd	1	0.2043	0.0310	43.5635	<0.0001	1.227	1.154	1.303
Wage_Ad	1	0.0891	0.0130	46.8920	<0.0001	1.093	1.066	1.121
Wage_NAd	1	0.0449	0.0154	8.5687	0.0034	1.046	1.015	1.078
Style1	1	−0.7352	0.1558	22.2731	<0.0001	0.479	0.353	0.651
Style2	1	−0.7027	0.2347	8.9662	0.0028	0.495	0.313	0.784

令（Style1，Style2）＝（1，1），其他自变量取均值时的事件发生概率$\overline{p^1}$为基准，计算出各自变量单位变化量对充分就业纯农户使用农机行为的偏作用。令（Style1，Style2）＝（1，2），其他自变量取均值时的事件发生概率$\overline{p^2}$为基准，计算出各自变量单位变化量对充分就业兼业农户使用农机行为的偏作用。令（Style1，Style2）＝（2，1），其他自变量取均值时的事件发生概率$\overline{p^3}$为基准，计算出各自变量单位变化量对未充分就业纯农户使用农机行为的偏作用。令（Style1，Style2）＝（2，2），其他自变量取均值时的事件发生概率$\overline{p^4}$为基准，计算出各自变量单位变化量对未充分就业兼业农户使用农机行为的偏作用。计算结果如表 5-26 所示。

表 5-26 不同类型农户各变量单位变化量对使用农机概率的偏作用

| 变 量 | 系 数 | 均 值 | | | | 对 p 的偏作用/% | | | |
		类型 1	类型 2	类型 3	类型 4	类型 1	类型 2	类型 3	类型 4
Intercept	−0.3444								
R_LC	−0.0444	16.405	15.076	12.384	13.243	−0.17	−0.65	−1.08	−1.07
R_NA	0.1806	0	5.649	0	4.697	0.62	2.44	4.32	4.22
Area_Pd	0.2043	13.586	4.243	2.795	2.863	0.70	2.74	4.87	4.76
Wage_Ad	0.0891	20.676	19.838	20.220	20.210	0.32	1.24	2.15	2.11
Wage_NAd	0.0449	16.706	15.903	15.134	14.695	0.17	0.64	1.09	1.07
Style1	−0.7352	1	1	2	2				
Style2	−0.7027	1	2	1	2				

$\overline{p^1}=96.09\%$，$\overline{p^2}=82.62\%$，$\overline{p^3}=58.16\%$，$\overline{p^4}=60.59\%$

5.5.3 实证结果分析

5.5.3.1 采用均值作为收入评判标准

表5-20的分析结果显示，Logistic 回归模型通过了拟合度及零假设检验。表5-21的分析结果显示，7 个解释变量均在1%的水平下显著不等于0。农户类型变量 Style1、Style2 的系数均为负，表示农户从充分就业状态变化到未充分就业状态，或者农户从兼业状态变化到非兼业状态，农户使用农机的概率下降。其他自变量系数估计结果中，作用方向与理论分析一致。实证的 Logistic 回归模型为

$$\ln\left(\frac{p}{1-p}\right) = -0.0463 \times R\_LC + 0.1735 \times R\_NA + 0.1962 \times Area\_Pd$$
$$+ 0.0892 \times Wage\_Ad + 0.0471 \times Wage\_NAd$$
$$- 0.7414 \times Style1 - 0.6931 \times Style2$$

从表5-22中可读到，当（Style1，Style2）=（1，1）且其他自变量取均值时，事件发生概率$\overline{p^1}$=94.28%，代表各自变量取均值时充分就业纯农户使用农机的概率为94.28%。当（Style1，Style2）=（1，2）且其他自变量取均值时，事件发生概率$\overline{p^2}$=80.95%，代表各自变量取均值时充分就业兼业农户使用农机的概率为80.95%。当（Style1，Style2）=（2，1）且其他自变量取均值时，事件发生概率$\overline{p^3}$=56.36%，代表各自变量取均值时未充分就业纯农户使用农机的概率为56.36%。当（Style1，Style2）=（2，2）且其他自变量取均值时，事件发生概率$\overline{p^4}$=59.17%，代表各自变量取均值时未充分就业兼业农户使用农机的概率为59.17%。

可见，充分就业纯农户使用农机的概率最高，充分就业兼业农户使用农机的概率也较高，而未充分就业纯农户与未充分就业兼业农户使用农机的概率明显较低。这与第4章的理论分析一致。

另外，不同类型农户使用农机行为对自变量变化的敏感程度也不同。从实证结果看，自变量相同数量程度的改变，对不同类型农户使用农机行为的偏作用大小排序为：充分就业纯农户＜充分就业兼业农户＜未充分就业纯农户～未充分就业兼业农户。如非农劳动时间比率同样提高10%，充分就业纯农户使用农机概率增加0.87%，充分就业兼业农户使用农机概率增加2.53%，而未充分就业纯农户与未充分就业兼业农户使用农机概率分别增加4.21%和4.12%。

5.5.3.2 采用3/4分位数作为收入评判标准

表5-24的分析结果显示，Logistic回归模型通过了拟合度及零假设检验。表5-25的分析结果显示，7个解释变量均在1%的水平下显著不等于0。农户类型变量Style1、Style2的系数均为负，表示农户从充分就业状态变化到未充分就业状态，或者农户从兼业状态变化到非兼业状态，农户使用农机的概率下降。其他自变量系数估计结果中，作用方向与理论分析一致。实证的Logistic回归模型为

$$\ln\left(\frac{p}{1-p}\right) = -0.0444 \times R\_LC + 0.1806 \times R\_NA + 0.2043$$
$$\times Area\_Pd + 0.0891 \times Wage\_Ad + 0.0449$$
$$\times Wage\_NAd - 0.7352 \times Style1 - 0.7027 \times Style2$$

从表5-26中可读到，当（Style1，Style2）=（1，1）且其他自变量取均值时，事件发生概率$\overline{p^1}$=96.09%，代表各自变量取均值时充分就业纯农户使用农机的概率为96.09%。当（Style1，Style2）=（1，2）且其他自变量取均值时，事件发生概率$\overline{p^2}$=82.62%，代表各自变量取均值时充分就业兼业农户使用农机的概率为82.62%。当（Style1，Style2）=（2，1）且其他自变量取均值时，事件发生概率$\overline{p^3}$=58.16%，代表各自变量取均值时未充分就业纯农户使用农机的概率为58.16%。当（Style1，Style2）=（2，2）且其他自变量取均值时，事件发生概率$\overline{p^4}$=60.59%，代表各自变量取均值时未充分就业兼业农户使用农机的概率为60.59%。

可见，充分就业纯农户使用农机的概率最高，充分就业兼业农户使用农机的概率也较高，而未充分就业纯农户与未充分就业兼业农户使用农机的概率明显较低。这与第4章的理论分析一致。

另外，不同类型农户使用农机行为自变量变化的敏感程度也不同。从实证结果看，自变量相同数量程度的改变，对不同类型农户使用农机行为的偏作用大小排序为：充分就业纯农户<充分就业兼业农户<未充分就业纯农户≈未充分就业兼业农户。如非农劳动时间比率同样提高10%，充分就业纯农户使用农机概率增加0.62%，充分就业兼业农户使用农机概率增加2.44%，而未充分就业纯农户与未充分就业兼业农户使用农机概率分别增加4.32%、4.22%。

Logistic回归模型引入地形变量或农户类型变量后，各自变量系数的相对大小仍保持稳定，仍然是R_NA与Area_Pd的偏作用较大，Wage_Ad与Wage_Nad的偏作用较小，如表5-27所示。这说明实证模型的稳定较好。

表 5-27　自变量系数估计结果汇总表

实证自变量	系数估计结果			
	不考虑地形及农户类型	考虑地形变量	考虑农户类型变量	
			"均值"标准	"3/4 分位数"标准
R_LC	− 0.0320	− 0.0378	− 0.0463	− 0.0444
R_NA	0.1268	0.1080	0.1735	0.1806
Area_Pd	0.2046	0.1153	0.1962	0.2043
Wage_Ad	0.0796	0.0539	0.0892	0.0891
Wage_NAd	0.0549	0.0373	0.0471	0.0449

5.6　本章小结

（1）5.1 内容小结

5.1 节对实证数据进行了介绍。其主要内容如下：

第一，介绍研究区域的选择理由。从社会经济发展状况考虑，研究区域兼顾了经济较发达的东部沿海地区，经济次发达的中部平原地区及经济欠发达的中部丘陵山区；从自然条件考虑，研究区域兼顾了平原地区与丘陵山区。实证样本的抽样方式：首先选择调查区域内社会经济条件代表性较高的县（市、区），然后采用分层随机抽样的方法，在每个县（市、区）中选择 2～4 个乡镇，每个乡镇选择 2～4 个行政村进行随机农户问卷调查。本书实证分析涉及 4 省 18 个县（市、区）的 1340 份样本数据。

第二，构建实证分析所需的原始 SAS 数据集。原始 SAS 数据集包含了与农户使用农机行为密切相关的 7 方面的数据：农户所属区域、农户劳动力状况、农户时间配置状况（就业状况）、农户耕地面积、农户使用农机情况、农户收支状况和农户意愿工资状况，共涉及变量 23 个。

（2）5.2 节～5.5 节内容小结

5.2 节～5.5 节采用统计分析软件 SAS 9.2，对农户使用农机行为进行了实证分析。其主要内容如下：

第一，通过对农户各属性数据总体均值的估计，以及不同地区农户各属性数据总体均值的方差分析，阐述了研究区域农户的基本情况。

第二，选取劳动消费比率（R_LC）、非农劳动时间比率（R_NA）、水田面积（Area_Pd）、意愿务农工资（Wage_Ad）、意愿非农工资（Wage_NAd）作为自变量，选取是否使用收割机（Y_N）作为因变量，采用 Logistic 回归模型等统计方法对农户使用农机行为的影响因素进行了实证分析。实证分析结果中各自变量对农户使用农机行为影响方向与理论分析结论一致。实证的 Logistic 回归模型为

$$\ln\left(\frac{p}{1-p}\right) = -2.8348 - 0.0320 \times R\_LC + 0.1268 \times R\_NA + 0.2046$$
$$\times Area\_Pd + 0.0796 \times Wage\_Ad + 0.0549 \times Wage\_NAd$$

当各自变量取均值时，农户使用农机的概率 $\overline{p} = 59.85\%$。以此为基准，当 R_LC 增加 10 个百分点时，农户使用农机的概率 p 下降 0.77%；当 R_NA 增加 10 个百分点时，农户使用农机的概率 p 上升 3.01%；当 Area_Pd 增加 0.1 公顷，农户使用农机的概率 p 上升 4.80%；当 Wage_Ad 增加 100 元/月时，农户使用农机的概率 p 上升 1.90%；当 Wage_NAd 增加 100 元/月时，农户使用农机的概率 p 上升 1.31%。可见，R_NA 与 Area_Pd 对农户使用农机概率偏作用较大，而 Wage_Ad 与 Wage_Nad 的偏作用较小。

第三，通过引入地形虚拟变量 Terrain（Terrain = 1 代表平原地形，Terrain = 2 代表丘陵地形），讨论了地形对农户使用农机行为的影响。实证的 Logistic 回归模型为

$$\ln\left(\frac{p}{1-p}\right) = 1.9640 - 0.0378 \times R\_LC + 0.1080 \times R\_NA + 0.1153$$
$$\times Area\_Pd + 0.0539 \times Wage\_Ad + 0.0373$$
$$\times Wage\_NAd - 2.5636 \times Terrain$$

当 Terrain = 1，其他自变量取均值时，农户使用农机的概率 $\overline{p^1} = 83.36\%$；当 Terrain = 2，其他自变量取均值时，农户使用农机的概率 $\overline{p^2} = 17.86\%$。这说明平原地区农户使用农机概率显著大于丘陵山区农户。

丘陵山区农户使用农机行为对自变量的变化较敏感，即自变量对丘陵山区农户使用农机概率的偏作用要大于平原地区农户。如非农劳动时间比率同样提高 10%，平原地区农户使用农机概率增加 1.44%，而丘陵山区农户使用农机概率增加 1.64%。

第四，通过引入农户类型虚拟变量 Style1 与 Style2，对不同类型农户使用农机行为的差异进行了实证分析。当（Style1，Style2）=（1，1）时，代表充分就业纯农户；当（Style1，Style2）=（1，2）时，代表充分就业兼业农户；当（Style1，Style2）=（2，1）时，代表未充分就业纯农户；当（Style1，Style2）=（2，2）时，代表未充分就业兼业农户。以"采用农户劳均收入数据的均值作为社会平均收入水平"的情况为例，实证的 Logistic 回归模型为

$$\ln\left(\frac{p}{1-p}\right) = -0.0463 \times R\_LC + 0.1735 \times R\_NA + 0.1962 \times Area\_Pd$$

$$+ 0.0892 \times Wage\_Ad + 0.0471 \times Wage\_NAd$$
$$- 0.7414 \times Style1 - 0.6931 \times Style2$$

当（Style1，Style2）=（1，1）且其他自变量取均值时，农户使用农机的概率 $\overline{p^1}$ = 94.28%；当（Style1，Style2）=（1，2）且其他自变量取均值时，农户使用农机的概率 $\overline{p^2}$ = 80.95%；当（Style1，Style2）=（2，1）且其他自变量取均值时，农户使用农机的概率 $\overline{p^3}$ = 56.36%；当（Style1，Style2）=（2，2）且其他自变量取均值时，农户使用农机的概率 $\overline{p^4}$ = 59.17%。可见，充分就业纯农户使用农机概率最高，充分就业兼业农户概率较高，而未充分就业纯农户与未充分就业兼业农户使用农机概率较低，这与理论分析结论一致。

不同类型农户使用农机行为对自变量变化的敏感程度也不同，同一自变量相同数量程度的改变，对不同类型农户使用农机行为的偏作用大小排序为：充分就业纯农户 < 充分就业兼业农户 < 未充分就业纯农户 ≈ 未充分就业兼业农户。如非农劳动时间比率同样提高 10%，充分就业纯农户使用农机概率增加 0.87%，充分就业兼业农户使用农机概率增加 2.53%，而未充分就业纯农户与未充分就业兼业农户使用农机概率分别增加 4.21% 和 4.12%。可见，未充分就业纯农户与未充分就业兼业农户农机化改造潜力较大。

本章估计的 Logistic 回归模型，无论是在引入地形变量还是农户类型变量，以及在农户分类时选用均值与 3/4 分位数作为农户分类标准，各自变量系数的符号及相对大小均保持稳定，这说明实证模型的稳定较好。

6

结论及讨论

6.1　研　究　结　论

6.1.1　农户使用农机行为模型构建部分的主要结论

（1）农户效应函数

购买消费品的收入与享受消费品的闲暇时间，是农户消费的两个基本要素。当前，我国正处于二元经济结构转变时期，大量农民走出农村到城市寻求劳动报酬稍高于农业生产的工作，农民的平均收入还低于社会平均水平。随着劳动报酬的提高，农民是愿意增加劳动供给的。所以，当前我国农户的效用函数可以用替代弹性大于 1 的 CES 效用函数来表示。农户效用函数形式如下

$$U = \left[aY^{\rho} + (1 - a)T_c^{\rho} \right]^{1/\rho}(0 < a, \rho < 1)$$

式中，参数 a 反映了农户对收入 Y 与闲暇 T_c 的相对偏好程度，参数 ρ 反映了农户对两种消费品的替代弹性。a 越大，农户越偏好于收入 Y；ρ 越大，替代弹性 σ 越大，农户时间配置（闲暇的需求与劳动的供给）对劳动报酬率 r 的变动越敏感。

（2）农户劳动报酬曲线

农户生产行为的直接目的是获得收入，农户的收入包括农业收入、非农收入及其他收入。农户的农业收入与非农收入属于劳动收入，其他收入属于非劳动收入。现阶段我国农户的其他收入占总收入比重较小，可视为外生给定。农户劳动报酬曲线反映了农户劳动时间与收入之间的关系，劳动报酬曲线的斜率代表农户的劳动报酬率，劳动报酬曲线是描述农户生产行为的有效工具。农户生产方式是农户农业生产方式与非农生产方式的组合，由于特定生产方式对农户劳动时间投入有特定的要求，而农户可选择的生产方式又是有限的和离散的，因此农户的劳动时间选择也是离散的。农户在生产方式 i 下的劳动报酬曲线可描述为

$$Y^i = T_f^i \cdot r_f^i + T_w^i \cdot r_w^i + Y_v (i \in I = \{1, \cdots, n\})$$

式中，I 为农户可以选择的 n 种生产方式的集合；T_f^i、T_w^i、r_f^i、r_w^i、Y^i 分别为在农户可以选择的生产方式 i 下，农户的农业劳动时间、非农劳动时间、农业劳动报酬率、非农劳动报酬率和总收入。

（3）农户生产与消费行为模型

农户消费行为与生产行为之间的关系可以表示为：农户的消费行为是在生产收入约束下进行的，而生产行为是在消费效用最大化目标下进行的，同时消费行为所需的闲暇与生产行为所需的劳动受农户总的可用时间的制约。农户行为的最终目标是追求消费效用最大化，约束条件是农户生产环境及农户总的可用时间。所以，农户行为模型的代数形式如下：

$$\mathrm{Obj:max} U^i = U(Y^i, T_c^i) = (a(Y^i)^\rho + (1-a)(T_c^i)^\rho)^{1/\rho} \quad (0 < a, \rho < 1)$$

$$\mathrm{S.t.:} Y^i = T_f^i \cdot r_f^i + T_w^i \cdot r_w^i + Y_v, T_c^i = T - T_f^i - T_w^i (i \in I = \{1, \cdots, n\})$$

在消费效用最大化目标下，农户生产决策的过程就是综合权衡生产行为变动带来的收入变化量 ΔY 与闲暇变化量 ΔT_c 的过程。如果 ΔY 与 ΔT_c 使得农户效用增加，则选择新的生产方式是较优的；如果 ΔY 与 ΔT_c 使得农户效用减少，则保持原有生产方式是较优的；如果 ΔY 与 ΔT_c 使得农户效用不变，则两种生产方式无差异。农户在生产方式 i 下，农户的生产与消费行为状态可表示为向量 $(T_f^i, T_w^i, r_f^i, r_w^i; Y^i, T_c^i, U^i)$。在这一行为状态下，农户的农业劳动时间为 T_f^i，非农劳动时间为 T_w^i，农业劳动报酬率为 r_f^i，非农劳动报酬率为 r_w^i，总收入为 Y^i，闲暇时间为 T_c^i，获得的效用为 U^i。

6.1.2 农户使用农机行为理论分析部分的主要结论

（1）农户使用农机对农户生产的影响

农户使用农机对农业生产的影响可归结为三个方面：影响农户的农业劳动时间，影响农业产量，影响农业生产成本。而对农业产量与农业生产成本的影响又可转化为对农业收入的影响，因此农户使用农机对农业生产的影响可进一步归结为两个方面：影响农业劳动时间和农业收入。不只是闲暇与劳动时间存在两难冲突，农户的农业劳动时间与非农劳动时间也往往出现两难冲突。农户通过使用农机节省农业劳动时间，可将农户从农业劳动中"解放"出来，以便更好地寻求非农职业。

（2）农户使用农机行为的理论模型

农户使用农机行为属于农户生产行为的一个具体例子，因此农户使用农机行为可用如下模型来表示：

$$\text{Obj:}\max U^i = U(Y^i, T_c^i) = (a(Y^i)^\rho + (1-a)(T_c^i)^\rho)^{1/\rho} (0 < a, \rho < 1)$$

$$\text{S.t.}: Y^i = T_f^i \cdot r_f^i + T_w^i \cdot r_w^i + Y_v, T_c^i = T - T_f^i - T_w^i (i \in I = \{1,2\})$$

此时，农户生产方式的选择集 I 只有两个元素 1 和 2。1 表示农户使用农机的生产方式，2 表示农户不使用农机的生产方式。农户效用最大化过程，就是农户对两种生产方式下农户效用水平的比较过程。

（3）农户使用农机行为的临界点

农户是否使用农机的临界点是指这样一种状态：在这一状态下，农户使用农机与不使用农机无差异，即使用农机前后的消费效用水平不变。农户使用农机的临界点可以用农户使用农机的容忍值 TV 来表达：农户是否使用农机取决于使用农机后实际农业收入变化量 ΔY_f 与农户使用农机容忍值 TV 的比较，如果 $-\Delta Y_f >$ TV，则农户不使用农机为较优选择；如果 $-\Delta Y_f <$ TV，则农户使用农机为较优选择。农户效用函数类型及农户非农就业环境对农户使用农机的容忍值 TV 有重要影响。一方面，如果农户效用函数中参数 a 越小，收入在农户消费效用中相对重要性越小，农户的容忍值 TV 就越大；另一方面，对于收入较低的农户，如果农户使用农机后非农劳动时间增加，那么其使用农机的容忍值 TV 会增大。

（4）农户使用农机行为的影响因素

农户使用农机行为的影响因素可归为两大类：一类因素是通过影响农户心理容忍值 TV 而产生影响，主要包括农户非农就业环境（主要通过非农劳动时间变化量与非农劳动报酬率来反映）、农户初始经济状况（主要通过农户心理劳动报酬率来反映）、农机作业效果 1（主要通过农机使用前后农业劳动时间变化量来反映）；另一类是通过影响农户的实际农业收入变化量 ΔY_f 而产生影响，主要包括农产品市场状况（主要通过农产品价格来反映）、农机作业效果 2 和效果 3（主要通过农机使用前后农业产量变化量与农业生产成本变化量来反映）。

（5）农户使用农机方式

农户使用农机的方式有三种：租用、自己购买使用、自己购买使用兼出租。不存在农机租赁市场时，农户如果使用农机则只能自己购买使用。农机租赁市场存在的条件是：存在一定数量的耕地面积小于农机租/购临界规模的农户。当存在农机租赁市场，且农户耕地面积小于农机租/购临界规模时：若农机租赁供给市场还未饱和，农户又有购买农机的资金及使用农机的相关技术，则农户可以购买农机出租兼自用；若农机租赁供给市场已经饱和，或者农户缺少购买农机的资金及使用农机的相关技术，则农户只能租用农机。当存在农机租赁市场，且农户耕地面积大于农机的租/购临界规模时：若农户具备购买农机的资金及使用农机的相关技术，则农户会购买使用农机；若农户缺少购买农机的资金及使用农机的相关技术，则农户只能租用农机。

（6）不同类型农户使用农机行为

根据农户是否充分就业及是否从事非农劳动将农户分为四类：未充分就业纯农户、充分就业纯农户、未充分就业兼业农户和充分就业兼业农户。由于不同类型农户面临的经济环境不同，不同类型农户使用农机的意愿大小也不同。总的来说，充分就业纯农户使用农机的意愿最强，充分就业兼业农户使用农机的意愿较强，而未充分就业纯农户与未充分就业兼业农户Ⅰ使用农机的意愿较低，未充分就业兼业农户Ⅱ使用农机的意愿随着非农劳动时间的增加而增加。对未充分就业纯农户而言，其农机化的突破点是改善其生产条件，通过增加其耕地面积，或者改善其非农就业环境，使未充分就业纯农户向充分就业纯农户或充分就业兼业农户转化。对未充分就业兼业农户Ⅰ而言，由于其有部分非农收入，此类型农户农机化的突破点可着重在改善其非农就业环境，使其可以获得更多的非农劳动机会，进而向充分就业兼业农户转化。对未充分就业兼业农户Ⅱ而言，其农机化的突破点是继续改善其非农就业环境，使其可以获得更多的非农劳动机会，直至达到充分就业。

6.1.3 农户使用农机行为实证分析部分的主要结论

（1）农户使用农机的状况

目前，我国农户使用农机的比例不是很高，提升农业机械化水平的潜力较大。使用农机的农户数占全部农户样本的比例为55.52%。从区域上来看，表现出明显的区域差异。总的来说，平原地区农户使用农机的比例较高，丘陵山区农户使用农机的比例较低；经济发达地区农户使用农机的比例较高，经济欠发达地区农户使用农机的比例较低。

（2）农户使用农机行为影响因素

通过选取劳动消费比率（R_LC）、非农劳动时间比率（R_NA）、水田面积（Area_Pd）、意愿务农工资（Wage_Ad）、意愿非农工资（Wage_NAd）作为自变量，选取是否使用收割机（Y_N）作为因变量，采用 Logistic 回归模型分析自变量与因变量之间的关系，得到 Logistic 回归模型为

$$\ln\left(\frac{p}{1-p}\right) = -2.8348 - 0.0320 \times R\_LC + 0.1268 \times R\_NA + 0.2046$$

$$\times \text{Area\_Pd} + 0.0796 \times \text{Wage\_Ad} + 0.0549 \times \text{Wage\_NAd}$$

从此可以看出：农户使用农机行为与劳动消费比率呈反相关关系，与非农劳动时间比率、水田面积、意愿务农工资和意愿非农工资呈正相关关系。当各个自变量取均值时，农户使用农机的概率 $\bar{p} = 59.85\%$。以此为基准，当劳动消费比率增加 10 个百分点时，农户使用农机的概率 p 下降 0.77%；当非农劳动时间比率增加 10 个百分点时，农户使用农机的概率 p 上升 3.01%；当水田面积增加 0.1 公顷时，农户使用农机的概率 p 上升 4.80%；当意愿务农工资增加 100 元/月时，农户使用农机的概率 p 上升 1.90%；当意愿非农工资增加 100 元/月时，农户使用农机的概率 p 上升 1.31%。可见，水田面积和非农劳动时间比率对农户使用农机概率的偏作用较大，而意愿务农工资和意愿非农工资对农户使用农机概率的偏作用较小。

（3）地形对农户使用农机行为的影响

通过引入地形虚拟变量 Terrain（Terrain = 1 代表平原地形，Terrain = 2 代表丘陵地形），可得到农户使用农机行为 Logistic 回归模型为

$$\ln\left(\frac{p}{1-p}\right) = 1.9640 - 0.0378 \times \text{R\_LC} + 0.1080 \times \text{R\_NA}$$
$$+ 0.1153 \times \text{Area\_Pd} + 0.0539 \times \text{Wage\_Ad} + 0.0373$$
$$\times \text{Wage\_NAd} - 2.5636 \times \text{Terrain}$$

当 Terrain = 1，其他自变量取均值时，农户使用农机的概率 $\overline{p^1} = 83.36\%$；当 Terrain = 2，其他自变量取均值时，农户使用农机的概率 $\overline{p^2} = 17.86\%$。所以，平原地区农户使用农机概率显著大于丘陵山区农户使用农机概率。但是，丘陵山区农户使用农机行为对自变量的变化较为敏感，即自变量对丘陵山区农户使用农机概率的偏作用较大，对平原地区农户使用农机概率的偏作用较小。如非农劳动时间比率同样提高 10%，平原地区农户使用农机概率增加 1.44%，而丘陵山区农户使用农机概率增加 1.64%。

（4）不同类型农户使用农机行为

通过引入农户类型虚拟变量 Style1 与 Style2，对不同类型农户使用农机行为的差异进行分析。当（Style1，Style2）=（1，1）时，代表充分就业纯农户；当（Style1，Style2）=（1，2）时，代表充分就业兼业农户；当（Style1，Style2）=（2，1）时，代表未充分就业纯农户；当（Style1，Style2）=（2，2）时，代表未充分就业兼业农户。以"采用农户劳均收入数据的均值作为社会平均收入水平"的情况为例，实证的 Logistic 回归模型为

$$\ln\left(\frac{p}{1-p}\right) = -0.0463 \times \text{R\_LC} + 0.1735 \times \text{R\_NA} + 0.1962 \times \text{Area\_Pd}$$

$$+ 0.0892 \times Wage\_Ad + 0.0471 \times Wage\_NAd$$
$$- 0.7414 \times Style1 - 0.6931 \times Style2$$

当各自变量取均值时，充分就业纯农户使用农机的概率 $\overline{p^1}=94.28\%$，充分就业兼业农户使用农机的概率 $\overline{p^2}=80.95\%$，未充分就业纯农户使用农机的概率 $\overline{p^3}=56.36\%$，未充分就业兼业农户使用农机的概率 $\overline{p^4}=59.17\%$。可见，充分就业纯农户使用农机概率最高，充分就业兼业农户概率较高，而未充分就业纯农户与未充分就业兼业农户使用农机概率较低，这与理论分析的结论一致。

不同类型农户使用农机行为对自变量变化的敏感程度也不同，同一自变量相同数量程度的改变，对不同类型农户使用农机行为的偏作用大小排序为：充分就业纯农户 < 充分就业兼业农户 < 未充分就业纯农户 ≈ 未充分就业兼业农户。如非农劳动时间比率同样提高 10%，充分就业纯农户使用农机概率增加 0.87%，充分就业兼业农户使用农机概率增加 2.53%，而未充分就业纯农户与未充分就业兼业农户使用农机概率分别增加 4.21% 和 4.12%。可见，未充分就业纯农户与未充分就业兼业农户农机化改造潜力较大。

无论是在引入地形变量还是农户类型变量，以及在农户分类时选用均值与 3/4 分位数作为农户分类标准，各个自变量系数的符号及相对大小均保持稳定。这说明本书所采用的实证模型的稳定性较好。

6.2 政策含义

本书基于农户行为理论对农户使用农机行为进行了理论分析与实证分析，提出了农户是否使用农机及以何种方式使用农机的行为逻辑及其影响因素。农户使用农机行为的影响因素主要可概括为四个方面：农户非农就业环境、农户初始经济状况、农机作业效果和农产品市场状况。其中，农户非农就业环境、农机作业效果和农产品市场状况三方面因素，相关政策可以有较大的作用空间。下面就从如何改善、改进农户所面临的这三方面因素着手，对本书的一些政策含义进行讨论。

6.2.1 改善农户非农就业环境

改善农户非农就业环境，主要体现在两方面：一是增加农户非农就业机会，二是提高农户非农劳动工资率。

图 6-1 中描述了非农劳动力市场的供需均衡状态[①]。设初始状态农户的劳动供给曲线为 S，市场的劳动需求曲线为 D_1，则设初始状态的均衡点为 A，此时农户的非农劳动时间为 T_w^1，非农劳动工资率为 r_w^1。增加农户非农就业机会就是要使均衡点 A 向右移动，提高农户非农劳动工资就是要使均衡点 A 向上移动。

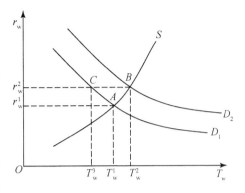

图 6-1 非农劳动力市场供需均衡

由于在一定时期内，农户数量及农户的效用函数保持稳定，因此农户的劳动供给曲线在一定时期内会保持不变。要增加农户非农劳动时间与非农劳动工资率，一个有效的方法是改变非农劳动需求曲线。例如，使非农劳动需求曲线从 D_1 移动到 D_2，均衡点由 A 点移到 B 点，农户的非农劳动时间增加为 T_w^2，非农劳动工资率提高为 r_w^2。要使非农劳动需求曲线从 D_1 移动到 D_2，依靠的是：非农生产企业数量的增加以及非农生产企业盈利能力的提高。非农生产企业数量的增加依赖于非农产品需求市场的扩大。长期以来，我国非农生产企业通过开拓海外需求市场，使其自身得到了长足发展，并在这一过程中吸纳了数以亿计的农民工。然而，经历了 2008 年以来的金融危机后，我们发现，过于偏重海外市场，不利于我国经济的平稳发展，国内市场的开拓对于抵御国际经济风险尤为重要。

非农生产企业盈利能力的提高依赖于产业结构的自我调整与升级。我国众多的中小型民营企业长期处于产业链的末端，企业缺少核心技术，所生产的产品附加值低，企业的"租值"[②] 少。在这种状况下，企业只能支付起较低的劳动工资率。2008 年 1 月 1 日起施行的《劳动合同法》，类似于"强行"提高劳动工资率的一种措施。如初始的劳动工资率为 r_w^1，现"强行"提高到 r_w^2，企业的劳动需求量将缩小到 T_w^3，而农户的意愿供给量为 T_w^2。T_w^2 与 T_w^3 之间的差

---

① 刘易斯的二元经济论认为，在"二元经济"结构未消除之前，农村的非农劳动力供给是无限的，即农户劳动力供给曲线为一条水平直线（刘易斯，1989）。本书认为，当前我国"二元经济"结果还未消除，但农村的非农劳动力供给并不是无限的，因为不同农户从事非农劳动的机会成本不同，不同非农劳动工资下，农村非农劳动的供给量会有变化；并且随着非农劳动工资的提高，农村非农劳动的供给会增加。

② 有些企业有租值或所谓的固定成本，于是收入下降或成本上升时，它们的所谓利润（其实是租值）减少，但只要直接成本（可变成本）仍得到弥补，企业会继续经营。于是，租值越大的企业，越能承受经济变动的冲击，因为有较大的租值空间来作为缓冲。而对于没有租值的企业来说，那就是边际企业了，经济稍一变动，它们马上完蛋，因为马上就无法弥补直接成本（可变成本）了（引自张五常搜狐博客. 张五常，http://zhangwuchang.blog.sohu.com/107847257.html）。

值，就是被这一"强行"措施排挤掉的非农劳动时间。

6.2.2 适当促进农业规模化经营

农机天生是为规模化经营而生，农机的许多优势在规模化经营下才能体现。但由于各国人均耕地条件的不同，机械化进程可明显分为两类：一类是以人少地多的欧美主要发达国家为代表的"专业型"的农业机械化；另一类是以人多地少的日本、韩国等亚洲国家为代表的"兼业型"的农业机械化。

表 6-1 反映了不同国家农业人口与人均耕地面积状况，表中所列国家除中国外，均已全面实现农业机械化。从表中可以看到，欧美发达国家包括澳大利亚在内，农业人口占总人口的比重均在 5% 以下，按农业人口计算的人均耕地面积基本在 10 公顷/人以上，这种较优的人均资源禀赋，使得这些国家的农户只需专注于农业生产，就可以获得不低于社会平均水平的收入，这些地区的农业机械化属于"专业型"的农业机械化。而日本与韩国，由于人多地少，按农业人口计算的人均耕地面积在 0.4 公顷左右，这使得农户如果只专注于农业生产，还难以获得社会平均水平的收入，农户除了从事农业生产外，还需大量从事非农生产。如在日本，专业纯农户只有 16%，以农业收入为主的兼业农户占 14%，以非农业收入为主的兼业农户占 70%。日本和韩国的农业机械化属于"兼业型"的农业机械化（张蒽，2006）。

表 6-1　国外农业人口与耕地面积状况

国　家	总人口 /万人	农业人口占总 人口比重/%	耕地面积 /万公顷	按农业人口计的人均 耕地面积/公顷/人
美国	29 600	2.30	17 900	26.29
加拿大	3 175	2.20	6 800	97.35
英国	5 978	1.80	1 713	15.92
法国	6 200	1.80	3 350	30.02
德国	8 250	2.40	1 701	8.59
澳大利亚	2 023	4.40	5 000	56.17
日本	12 770	10.00	510	0.40
韩国	4 829	8.80	184	0.43
中国	132 800	54.32	12 180	0.17

资料来源：张蒽，2006

我国是农业人口大国，农业人口占总人口比重为 54.32%，按农业人口计算的人均耕地面积只有 0.17 公顷。我国人均耕地资源禀赋状况甚至还劣于日本和韩国，这不利于我国农业机械化进程的推进。我国的农业机械化过程，必然是伴随着农业经营规模逐渐提高的过程。另外，我国农业人口基数太大，农业人口向城市的转移是一个长期过程。根据国家人口发展研究战略课题组2006 年公布的《国家人口发展战略研究报告》，到 21 世纪中叶，人口峰值控制在 15 亿人左右；根据联合国的估测数据，我国的城市化率在 2050 年达到72.9%，据此计算，2050 年我国农业人口人均耕地面积也只有 0.30 公顷。因此，我国农业规模化经营将是一个逐渐推进的过程。

我国农业机械化在较长时期内，将同日本与韩国类似，属于"兼业型"的农业机械化，农业规模化经营只能是适度推进。

适当促进农业规模化经营的具体途径有：改革现有城乡户籍制度，改革我国二元经济体制，加快完善农地使用权流转制度，建立完善的覆盖农村的社会保障体系，继续推进土地整理事业等。

6.2.3　降低农户使用农机的成本

（1）购买农机的成本

购买农机的成本可分为固定成本与可变成本，固定成本包括：年折旧费、购买农机的资本年利息、农机年保险费和年维修养护费等；可变成本包括：人工费、燃油费和农机田间的转移费等。表 6-2 列举了降低农户购买农机成本的措施。

表 6-2　降低购买农机成本的措施

农机使用成本费用项目		降低成本措施
固定成本	年折旧费	农机购置补贴
	购买农机的资本年利息	购置农机贷款利率优惠
	农机年保险费	农机保费补贴
	年维修养护费	改进农产品质量与售后服务体系
可变成本	人工费	提供农机操作培训
	燃油费	农机燃油补贴
	转移费	免收农机道路通行费

（2）租用农机的成本

降低农户租用农机成本的途径主要是：通过建立多元化的农机服务组织，完善农机租赁服务市场。这一方面使得农户可以在竞争的市场价格下租用农机，而不是在垄断价格下租用农机；另一方面使得农户租用农机的需求能得到最及时的满足，避免有需求而缺少供给的情况。

6.2.4　稳定农产品市场

农产品价格的波动，受损最大的往往是农户。农户一般是根据前一年的农产品价格，做出当年的农业生产决策，农产品价格的频繁波动会使得农户无所适从。常见的情况是，农产品价格上涨，农资价格就随之上涨；农产品价格下跌，农资价格却少有下跌。农户期望的农产品价格变化趋势是：在农资价格基本稳定的情况下，农产品价格稳中有升。

当然，农产品价格应符合市场规律，对农产品价格的强制压低或提高，不利于整体市场经济的发展。但可以通过相关政策与措施为农户生产提供一个稳定的价格预期。

6.3　讨　　论

（1）本书所构建农户行为模型的局限

为了简化论文的分析思路，本书所构建的农户行为模型中，将农户自有劳动投入（包含劳动数量投入与劳动质量投入）作为影响农户收入变化的唯一直接因素。这一处理过程隐含了两条重要假设：一是在农户生产过程中，其他投入要素（包括资本投入、土地投入、雇佣劳动投入等）是通过影响农户劳动生产率而间接影响农户收入；二是农户的非劳动收入为外生给定。模型中的第一条假设，使得模型难以分析资本投入、土地投入及雇佣劳动投入对农户效用的直接影响，而只能通过先分析这些要素投入对农户劳动生产率（或农户劳动报酬率）的影响，进而分析其对农户效用的影响。模型中的第二条假设，忽略了农户非劳动收入的内生性，而实际中，随着我国农村要素市场的逐步完善，及农民参与市场程度的逐渐提高，农户的财产收入等非劳动收入的比重会越来越大，农户非劳动收入对农户生产与消费行为的影响也会越来越明显。

（2）实证分析的不足之处

本书所属课题的农户调查工作始于 2008 年 12 月，完成于 2009 年 5 月。而本书的正式写作始于 2009 年 6 月，写作过程中，本书的思路几经调整，使得农户调查数据不能完全满足调整后的实证分析需要。这使得本书的实证分析存在一些不足之处，主要体现于两点：一是本书实证中采用农户使用收割机的行为来代替农户使用农机行为，收割机属于较大型农机，这使得实证分析中缺少了对农户使用小型农机的研究；二是调查样本中，农户使用收割机绝大多数是采用租用的方式，缺少自购使用收割机的样本，因此本书也未对农户选择农机使用方式的行为逻辑进行实证。

（3）可进一步研究的问题

要素市场的完善程度对农户行为有重要影响，本书未单独将市场的完善程度作为一个变量，来分析其对农户行为（或农户使用农机行为）的影响。如果用交易成本的大小来衡量市场的完善程度，则市场的完善程度实际上反映了农户参与市场的代价。市场越完善，农户参与市场所获得的好处就越大，农户参与市场的意愿也就越大。当前，我国要素市场特别是农村要素市场正处于逐渐发育的时期，研究要素市场的完善程度对农户行为的影响有重要意义。

农户行为模型可被视为贸易模型或是小型的一般均衡模型（Taylor and Adelman，2003）。本书构建了我国农户行为的理论模型，设定了农户效用函数与农户劳动报酬曲线的具体形式，并提出了相关参数的估计方法。如果有进一步的农户数据做支撑，则可采用可计算的一般均衡模型（computable general equilibrium model，CGE）对各类涉及农户生产与消费行为的政策进行政策实验。

参 考 文 献

A·恰亚诺夫.1996.农民经济组织.萧正洪译.北京：中央编译出版社.

阿瑟·刘易斯.1989.二元经济论.施炜,谢兵,苏玉宏译.北京：北京经济学院出版社.

白人朴.2007.新阶段的中国农业机械.北京：中国农业科学技术出版社：90.

保罗·萨缪尔森,威廉·诺德豪斯.2007.经济学（第18版双语版）.萧琛,蒋景媛等译.
　　北京：人民邮电出版社.

蔡基宏.2004.农地生产纯收入为负现象的经济学分析.山东经济,（6）：164-166.

蔡基宏.2005.基于农户模型的农民耕作行为分析.福州：福建师范大学.

陈宝峰.2005.新时期山西省农机化发展研究.北京：中国农业大学.

陈风波.2005.江汉平原农村经济发展与农户行为变迁.武汉：华中农业大学博士学位论
　　文：20.

陈和午.2004.农户模型的发展与应用：文献综述.农业技术经济,（3）：2-10.

陈升.1986.对农民家庭经营农机的评价.经济研究,（3）：65-69.

陈世忠,张缔庆.1990.农户劳均耕地面积与农机代耕作业项目的协调优化.北京：农业工
　　程大学学报,10（3）：1-10.

都阳.2001.中国贫困地区农户劳动经营行为研究.北京：华文出版社.

冯建英,穆维松,傅泽田.2007.农户对农机的购买行为现状调查分析.现代农业科技,
　　（11）：195-200.

弗兰克·艾利思.2006.农民经济学：农民家庭农业和农业发展.胡景北译.上海：上海人
　　民出版社.

高鸿业.2001.西方经济学（微观部分）.北京：中国人民大学出版社：291.

何雄奎,刘亚佳.2006.农业机械化.北京：农业科技出版社.

何泽军.2008.农户农机装备现状与需求分析——基于200户的典型调查.农机化研究,
　　（11）：40-43.

胡继连.1992.中国农户经济行为研究.北京：农业出版社.

胡建中,刘丽.2007.农户家庭长期投资行为研究的现状与展望.西南交通大学学报（社会
　　科学版）,（2）：108-113.

黄宗智.1986.华北的小农经济与社会变迁.北京：中华书局：4-7.

黄宗智.1992.长三角洲小农家庭与乡村发展.北京：中华书局：2.

克利福德·吉尔茨.2000.地方性知识——阐释人类学论文集.北京：中央编译出版社.

孔祥智.1998.现阶段中国农户经济行为的目标研究.农业技术经济,（2）：24-27.

李强,张林秀.2007.农户模型方法在实证分析中的运用——以中国加入WTO后对农户的
　　生产和消费行为影响分析为例.南京农业大学学报（社会科学版）,7（1）：25-31.

林万龙,孙翠清.2007.农业机械私人投资的影响因素：基于省级层面数据的探讨.中国农
　　村经济,（9）：25-32.

林毅夫 . 1988. 小农与经济理性 . 中国农村观察，（3）：31-33.

林祖嘉 . 1999. 住宅生产函数与要素替代弹性：CES 与 VES 之比较 . 住宅学报，2：49-60.

刘秀梅，亢霞 . 2004. 农户家庭劳动时间配置行为分析 . 中国农村观察，55（2）：46-52.

刘玉梅，崔明秀，田志宏 . 2009. 农户对大型农机装备需求的决定因素分析 . 农业经济问题，（11）：58-66.

卢迈，戴小京 . 1987. 现阶段农户经济行为浅析 . 经济研究，（7）：68-74.

马鸿运 . 1993. 中国农户经济行为研究 . 上海：上海人民出版社 .

马山水，张建设 . 1985. 大荔县农户经营农业机械经济效果问题的探讨 . 西北农林科技大学学报（自然科学版），（2）：92-100.

秦晖，苏文 . 1996. 田园诗与狂想曲 . 北京：中央编译出版社 .

任常青 . 1995. 自给自足和风险状态下的农户生产决策模型——中国贫困地区的实证研究 . 农业技术经济，（5）：22-26.

宋圭武 . 1998. 市场经济条件下农户经济行为研究 . 技术经济，（9）：32-35.

宋圭武 . 2002. 农户行为研究若干问题述评 . 农业技术经济，（4）：59-64.

宋洪远 . 1994. 经济体制与农户行为——一个理论分析框架及其对中国农户问题的应用研究 . 经济研究，（8）：22-28.

涂志强，杨敏丽，师丽娟 . 2008. 不同区域农民购置农业机械能力的实证研究 . 中国农机化，（3）：3-9.

王济川，郭志刚 . 2001. Logistic 回归模型——方法与应用 . 北京：高等教育出版社：17，111.

王志刚，李圣军，宋敏 . 2005. 农业收入风险对农户生产经营的影响：来自西南地区的实证分析 . 农业技术经济，（4）：46-50.

吴桂英 . 2002. 家庭内部决策理论的发展和应用：文献综述 . 世界经济文汇，（2）：70-80.

吴海华 . 2005. 我国农业机械购置补贴效益研究 . 北京：中国农业大学 .

西奥多·W. 舒尔茨 . 2006. 改造传统农业 . 梁小民译 . 北京：商务印刷馆 .

杨天和 . 2006. 基于农户生产行为的农产品质量安全问题的实证研究 . 南京：南京农业大学 .

杨小凯 . 2003. 经济学新兴古典与新古典框 . 北京：社会科学文献出版社：104.

尤小文 . 1999. 农户：一个概念的探讨 . 中国农村观察，（5）：17-20.

翟印礼，白冬艳 . 2004. 影响农户对农机消费的因素分析 . 农业经济，（4）：49-50.

詹姆斯·斯科特 . 2001. 农民的道义经济学：东南亚的反叛与生存 . 程立显，刘建等译 . 南京：译林出版社 .

张蕙 . 2006. 国外农业机械化 . 北京：中国社会出版社：1.

张广胜 . 1999. 市场经济条件下的农户经济行为研究 . 调研世界，（3）：25-33.

张林秀 . 1996. 农户经济学基本理论概述 . 农业技术经济，（3）：24-30.

张林秀，徐晓明 . 1996. 农户生产在不同政策环境下行为研究——农户系统模型的应用 . 农业技术经济，（4）：27-32.

张影强. 2007. 中国农户时间配置模型初探. 北京：北京交通大学.

易中懿等. 2008. 中国农业机械化年鉴. 北京：中国农业科学技术出版社：31-40.

钟太洋，黄贤金. 2006. 区域农地市场发育对农户水土保持行为的影响. 环境科学，27（2）：392-411.

钟涨宝，汪萍. 2003. 农地流转过程中的农户行为分析——湖北、浙江等地的农户问卷调查. 中国农村观察，（6）：38-41.

朱艳. 2005. 基于农产品质量安全与产业化组织的农户生产行为研究：以浙江省为例. 杭州：浙江大学.

Aderoba A. 1987. A model for selective mechanisation for the small farmer. Agricultural Systems，25（3）：229-236.

Adulavidhaya K，Kuroda Y，Lau L J，et al. 1984. The Comparative studies of the behavior of agricultural households in Thailand. Singapore Economic Review，29：67-96.

Ahn C Y，Singh I，Squire L. 1981. A model of an agricultural household in a multicrop economy：the case of Korea. Review of Economics and Statistics，63（4）：520-525.

Ali F，Parikh A. 1992. Relationships among labor，bullock，and tractor inputs in pakistan agriculture. American Agricultural Economics Association，74（2）：371-377.

Anjini K. 1997. An empirical investigation of rationing constraints in rural credit markets in India. Journal of Development Economics，53（2）：339-371.

Barnum H N，Squire L. 1979. An econometric application of the theory of the farm- household. Journal of Development Economics，(6)：79-102.

Barry P，Ellinger P，Hopkin J A，et al. 1988. Financial Management in Agriculture. Danville，Illinois：The Interstate Printers and Publishers.

Becker G S. 1965. A Theory of the allocation of time. The Economic Journal，75（299）：493-517.

Binswanger H P. 1978. The Economics of Tractors in South Asia：an Analytical Review. New York：Agricultural Development Council.

Boehlje M D，Eidman V R. 1984. Farm Management. New York：John Wiley & Sons.

Brauw A d，Taylor J E，Rozelle S. 2002. Migration and incomes in source communities：A new economic of migration perspective from China. Davis Working Paper，University of California.

Carter M R. 1988. Equilibrium credit rationing of small farm agriculture. Journal of Development Economics,28（1）：83-103.

Copeland T E，Weston J F，Shastri K. 1974. Financial Theory and Corporate Policy. Reading MA：Addison- Wesley publishing Co.

Coward N. 1964. Custom work and the farmer's machinery- investment decision. Illinois Agricultural Economics，4（1）：9-14.

Cromarty W A. 1959. The demand for farm machinery and tractors. Journal of Farm Economics，41（2）：323-331.

Duff B. 1978. Mechanization and use of modern rice varieties. Citation：Brady N C. 1978. Economic consequences of the new rice technology. Philippines: The International Rice Research Institute: 145-164.

Fox A. 1966. Demand for Farm Tractors in the U. S. Agr. Econ. Rep. Washington DC: U. S. Department of Agriculture, Econ. Res. Serv. .

Griliches Z. 1960. The demand for a durable input: farm tractors in the United States. The demand for durable goods. Chicago: University of Chicago Press.

Gustafson C R, Barry P J, Sonka S T. 1988. Machinery investment decisions: a simulated analysis for cash grain farms. Western Journal of Agricultural Economics, 13 (2): 244-253.

Hammond P J. 1994. Money metric measures of individual and social welfare allowing for environmental externalities. Models and Measurement of Welfare and Inequality: 694-724.

Hazell P B R, Roell A. 1983. Rural Growth Linkages: Household Expenditure Patterns in Malaysia and Nigeria. Washington D. C. : International Food Policy Research Institute.

Heady E O, Tweeten L G. 1963. Resource Demand and the Structure of the Agricultural Industry. Ames: Iowa State University Press.

Huffman W E. 1980. Farm and off-farm work decisions: the role of human capital. Review of Economics and Statistics, 62 (2): 14-23.

Huffman W E. 1991. Agricultural Household Models: Survey and Critique. Iowa: Iowa State University Press: 79-111.

Huffman W E. 2001. Human Capital: Education and Agriculture. In: Bruce L. Gardner, Rausser G C, et al. 2001. Handbook of Agricultural Economics. Amsterdam: Elsevier Science: 333-381.

Jacoby H G. 1993. Shadow wages and peasant family labour aupply: an econometric application to the peruvian sierra. Review of Economic Studies, 60 (4): 903-921.

Janvry A d, Fafchamps M, Sadoulet E. 1991. Peasant household behavior with missing markets: some paradoxes explained. The Economic Journal, 101 (409): 1400-1417.

Johnson T G, Brown W J, O'Grady K. 1985. A multivariate analysis of factors influencing farm machinery purchase decisions. Western Journal of Agricultural Economics, 10 (2): 294-306.

Kuroda Y, Yotopoulos P A. 1978. A microeconomic analysis of production behavior of the farm household in Japan: A profit function approach. The Economic Review, 29: 115-129.

Lau L J, Yotopoulos P, Chou E C, et al. 1981 The microeconomics of distribution: a simulation of the farm economy. Journal of Policy Modeling, 3 (2): 175-206.

Lluch C, Powell A A, Williams R A, et al. 1977. Patterns in Household Demand and Savings. London: Oxford University Press.

Lopez R. 1986. Structural Models of the Farm Household that Allow for Interdependent Utility and Profit-Maximization Decisions. In: Singh I J, Squire L, Strauss J, et al. 1986. Agricultural Household Models-Extensions, Applications and Policy. Baltimore: The Johns Hopkins University Press.

Michael R T, Becker G S. 1973. On the new theory of consumer behaviour. The Swedish Journal of

Economics, 75 (4): 378-396.

Nakajima, C. 1986. Subjective Equilibrium Theory of the Farm Household. Amsterdam: Elsevier Publishers: 302.

Penson J B, Klinefelter D A, Lins D A. 1982. Farm Investment and Financial Analysis. New Jersey: Prentice-Hall.

Penson J B, Romain R F J. 1981. Net investment in farm tractors: an econometric analysis. American Journal of Agricultural Economics. 63 (4): 629-635.

Pingali P. 2007. Agricultural Mechanization: Adoption Patterns and Economic Impact. In: Gardner B L, Rausser G C, et al. 2007. Handbook of Agricultural Economics. Amsterdam: Elsevier: 2781.

Polanyi K. 1957. The Great Transformation. Boston: Beacon press.

Popkin S L. 1979. The Eational Peasant: the Political Economy of Rural Society in Vietnam. California: University of California Press.

Rao C H H. 1972. Farm mechanisation in a labour-abundant economy. Economic and Political Weekly, 7 (8): 393-400.

Rayner A J, Cowling K. 1968. Demand for farm tractors in the United States and the United Kingdom. American Journal of Agricultural Economics, 50 (4): 896-912.

Reid D W, Bradford G L. 1987. A farm firm model of machinery investment decisions. American Journal of Agricultural Economics, 69 (1): 64-77.

Rosenzweig M R. 1980. Neoclassical theory and the optimizing peasant: An econometric analysis of market family labor supply in a developing country. The Quarterly Journal of Economics, 94 (1): 31-55.

Rozelle S, Taylor J E, Brauw A d. 1999. Migration, remittances, and productivity in China. American Economic Review, 89 (2): 287-91.

Rutherford T F. 2008. Calibrated CES utility functions- a worked example. http: //www. mpsge. org/calibration. pdf [2008-12-20].

Shanin T. 1972. The Awkward Class: Political Sociology of Peasantry in a Developing Society: Russia 1910-1925. London: Oxford University Press.

Singh I J, Janakiram S. 1986. Agricultural Household Modelling in a Multicrop Environment. In: Singh I J, Squire L, Strauss J, et al. 1986. Agricultural Household Models-Extensions, Applications and policy. Baltimore: The Johns Hopkins University Press: 233-254.

Singh I J, Squire L and Strauss J, et al. 1986. Agricultural Household Models-Extensions, Applications and policy. Baltimore: The Johns Hopkins University Press.

Sison J F, Herdt R W, Duff B. 1985. The effects of small farm mechanization on employment and output in selected rice-growing areas in nueva ecija, Philippines. Journal of Philippine Development, 12 (1): 29-82.

Smith J, Ciascon F. 1979. The effect of the new rice technology on family labor utilization in Laguna. IRRI Research Paper Series No. 42. Los Banos, Philippines.

Strack T M. 1986. Factors influencing farmers´ machinery investment: a farm-level perspective. M. S. Thesis, University of Illinois.

Strauss J. 1984. Joint determination of consumption and production in rural Sierra Leone: estimates of a household-firm model. Journal of Development Economics, 14: 77-105.

Tan Y L. 1981. The impact of farm mechanization on small-scale rice production. M. S. thesis, University of the Philippines.

Taylor J E. 1987. Undocumented Mexico-U. S. migration and the returns to households in rural Mexico. American Journal of Agricultural Economics, 69: 626-638.

Taylor J E, Adelman I. 2003. Agricultural household models: genesis, evolution, and extensions. Review of Economics of the Household, 1 (1): 133-158.

Verma S R. 2004. Impact of agricultural mechanization on production, productivity, cropping intensity income generation and employment of labour. Status of Farm Mechanization in India. http: // agricoop. nic. in/Farm% 20Mech. % 20PDF/ 05024-08. pdf [2004-12-20].

Zabalza A. 1983. The CES utility function nonlinear budget constraints and labour supply: results on female participation and hours. The Economic Journal, 93 (370): 312-330.

1　实证分析的 SAS 程序代码

实证分析中，编写的 SAS 统计分析程序代码主要有 5 段，第 1 段代码用于生产原始 SAS 数据集，第 2 段代码用于分析调研区域农户基本状况，第 3 ~ 5 段代码用于分析农户使用农机行为。在第 1 段代码运行后，其他 4 段代码均可独立运行。

1.1　生成原始 SAS 数据集的程序代码

```
/ * * * * * * * * * * * * * * * * * * * * * * * * * * * * * * * * * * * * * * * * * * * * * * * * * * * /
      / * 此程序用于从 excel 表格中提取数据,并生产 SAS 数据集 . */
/ * * * * * * * * * * * * * * * * * * * * * * * * * * * * * * * * * * * * * * * * * * * * * * * * * * * /

% let dtname = data_original;              / * 定义生成的 SAS 数据集的名称 */
% let dir = "E:\doctor_data\data_original.xls";
                                          / * 给出 excel 文件的完整目录 */
% let sheet = data_original;               / * 给出需提取 excel 数据在 excel 文件
                                               中的位置 */

PROC IMPORT OUT = DOCTOR. &dtname         / * DOCTOR 为逻辑库名称 */
         DATAFILE = &dir
         DBMS = EXCEL REPLACE;
    RANGE = "&sheet$";
    GETNAMES = YES;                       / * 将 excel 数据中的第一行作为变量名 */
    MIXED = NO;
    SCANTEXT = YES;                       / * 将最长字符串的长度作为字符变量值的长度 */
```

```
      USEDATE = YES;
      SCANTIME = YES;
label   NO = '编号'                      /*定义各字段的中文标签  */
         Region = '农户所属区域'
         Address = '农户具体地址'
         Popular = '家庭总人口'
         Popu_W = '家庭劳动人口'
         Popu_NA = '非农劳动人口'
         Popu_PA = '兼业劳动人口'
         Popu_A = '农业劳动人口'
         Time_NA = '非农劳动时间'
         Time_PA = '兼业时间'
         Time_A = '农业劳动时间'
         Time_L = '闲暇时间'
         Area_P = '水田面积'
         Area_D = '旱地面积'
         Y_N = '是否使用农机'
         Rent_P = '租用农机价格'
         Rent_E = '租用农机费用'
         Income = '总收入'
         Inco_NA = '非农收入'
         Expen = '总支出'
         Expen_P = '农业生产支出'
         Wage_A = '意愿农业工资'
         Wage_NA = '意愿非农工资';
RUN;
```

1.2 分析农户基本状况的程序代码

```
   /*******************************/
   /*  此程序用于对数据做方差分析。*/
   /*******************************/


% let dsname = doctor.data_original;   /* 宏变量存储生成的数据集名称 */


   /***********************************/
   /*执行 GLM 过程。对全部样本的各属性进行方差分析  */
```

```
    /* 同时对组间均值进行多重极差检验。*/
    /******************************************/

proc glm data = &dsname;
class region;
model Popular Popu_W Popu_NA Popu_PA Popu_A
      Time_NA Time_PA Time_A Time_L
      Area_P Area_D Rent_E
      Income Inco_NA Expen Expen_P Wage_A Wage_NA
       = region;
means region /duncan;              /*计算输出组间均值比较的新多重极差检验 */
title1 anova1;
run;
title;

    /**************************************************/
    /*将原始数据集 &dsname,转化成数据集 data_change,得到一些有用变量, */
    /* 然后调查过程 GLM 对这些变量进行方差分析。*/
    /**************************************************/

data data_change;
set &dsname;
x1 = Popular/Popu_W;                /*劳动消费比例 */
x2 = Popu_NA + Popu_PA;             /*从事非农劳动的人口 */
x3 = Time_NA + Time_PA;             /*非农劳动时间 */
x4 = (Time_NA + Time_PA + Time_A)/(Popu_W * 12);
                                    /*劳动时间占总可以时间的比例 */
x5 = Time_A/(Area_P + Area_D);      /*单位耕地面积农业劳动时间 */
x6 = Area_P + Area_D;               /*总耕地面积 */
x7 = Inco_NA/Income;                /*非农收入占总收入的比例 */
if region = 'taihu' then x8 = 88.44;       /*不同地区使用农机农户的比例 */
else if region = 'plane_hubei' then x8 = 78.02;
else if region = 'plane_hunan' then x8 = 64.47;
else if region = 'hillarea_hubei' then x8 = 11.30;
else x8 = 28.29;
run;
```

```
proc glm data = data_change;
class region;
model x1 x2 x3 x4 x5 x6 x7 x8
     = region;
means region /duncan;              /* 计算输出组间均值比较的新多重极差检验 */
title1 anova2;
run;
title;
```

```
/*****************************************************/
/* 执行 GLM 过程。对使用了农机的农户样本的租用农机价格与租用农机费用 */
   /* 两个属性进行方差分析,同时对组间均值进行多重极差检验。*/
/*****************************************************/
```

```
data data_Y;                        /* 从原始数据集中提取使用了农机的农户数据 */
set &dsname;
if   Y_N = 'Y';
run;
```

```
proc glm data = data_Y;
class region;
model Rent_P Rent_E = region;
means region /duncan;              /* 计算输出组间均值比较的新多重极差检验 */
title1 anova3;
run;
title;
```

1.3 分析农户使用农机行为影响因素的程序代码

```
/**********************************************/
/* 此程序用于对农户使用农机行为影响因素作实证分析 */
/**********************************************/
```

```
% let dsname = machinery;                /* 宏变量存储生成的数据集名称 */
% let dsname2 = doctor.data_original;    /* 宏变量存储原始的数据集名称 */
```

```
/**********************************************/
```

```
/ * 生成数据集 &dsname,供后面的统计过程调用  */
/ * * * * * * * * * * * * * * * * * * * * * * * * * * * * * * * * */

data &dsname (drop = Popular Popu_W Popu_NA Popu_PA Popu_A
                Time_NA Time_PA Time_A Time_L Area_D Rent_P Rent_E
                Wage_A Wage_NA);
                                / * 新建的数据集中去掉原数据集中不用的变量 */
set &dsname2 (drop = Address Income
                Inco_NA Expen Expen_P);
                                / * 去掉原数据集中不参与处理的变量 */

R_LC = Popular/Popu_W * 10;              / * 计算劳动消费比率,单位:10 个百分点 */
R_NA = (Time_NA + Time_PA)/(Popu_W * 12) * 10;
                                / * 计算非农劳动时间比率,单位:10 个百分点 */
Wage_Ad = Wage_A * 30/100;        / * 计算农户意愿务农工资,单位:100 元/月 */
Wage_NAd = Wage_NA/100;           / * 计算农户意愿务工工资,单位:100 元/月  */
Area_Pd = Area_P * 10;            / * 计算水田面积,单位:0.1 公顷 */

label R_LC = '劳动消费比率'
        R_NA = '非农劳动时间比率'
        Wage_Ad = '农户意愿务农工资'
        Wage_NAd = '农户意愿务工工资'
        Area_Pd = '农户水田面积';
run;

    / * * * * * * * * * * * * * * * * * * * * * * * * * * * * * * * * * * * * */
    / * 执行 means 过程,对数据集 &dsname 进行总体均值统计。 */
    / * * * * * * * * * * * * * * * * * * * * * * * * * * * * * * * * * * * * */

proc means data = &dsname;
title1 &dsname;
run;
title;

    / * * * * * * * * * * * * * * * * * * * * * * * * * * * * * * * * * * * * */
    / * 执行 logistic 过程,分析自变量与因变量的相关关系  */
```

```
   /*************************************************/

proc logistic data = &dsname des;              /* 模型计算的是农户使用农机的概率 */
model Y_N = R_LC R_NA
       Area_Pd Wage_Ad Wage_NAd;
title1 &dsname;
run;
title;
```

1.4   分析地形对农户使用农机行为影响的程序代码

```
   /*********************************************/
   /* 此程序用于分析地形对农户使用农机行为影响 */
   /*********************************************/

% let dsname = machinery;                      /* 宏变量存储生成的数据集名称 */
% let dsname2 = doctor.data_original;          /* 宏变量存储原始的数据集名称 */
```

```
   /********************************************/
   /* 生成数据集 &dsname,供后面的统计过程调用 */
   /********************************************/

data &dsname(drop = Popular Popu_W Popu_NA Popu_PA Popu_A
               Time_NA Time_PA Time_A Time_L Area_D Rent_P Rent_E
               Wage_A Wage_NA);
                               /* 新建的数据集中去掉原数据集中不用的变量 */
set &dsname2(drop = Address Income I
             nco_NA Expen Expen_P);  /* 去掉原数据集中不参与处理的变量 */

R_LC = Popular/Popu_W*10;           /* 计算劳动消费比率,单位:10 个百分点 */
R_NA = (Time_NA + Time_PA)/(Popu_W*12)*10;
                               /* 计算非农劳动时间比率,单位:10 个百分点 */
Wage_Ad = Wage_A*30/100;            /* 计算农户意愿务农工资,单位:100 元/月 */
Wage_NAd = Wage_NA/100;             /* 计算农户意愿务工工资,单位:100 元/月 */
Area_Pd = Area_P*10;                /* 计算水田面积,单位:0.1 公顷 */

if region = 'taihu' | region = 'plane_hubei' |region = 'plane_hunan' then
```

```
                Terrain =1;
else if region = 'hillarea_hubei' | region = 'hillarea_hunan' then
            Terrain =2;       /* 变量 Terrain 表示地形,1 代表平原、2 代表丘陵山地 */

label R_LC = '劳动消费比率'
        R_NA = '非农劳动时间比率'
        Wage_Ad = '农户意愿务农工资'
        Wage_NAd = '农户意愿务工工资'
        Area_Pd = '农户水田面积'
        Terrain = '农户所属区域地形';
run;


    /************************************************/
    /* 执行 means 过程,分析不同地形区农户指标的总体均值 */
    /************************************************/

proc means data = &dsname;
class Terrain;
run;


/*************************************************/
/* 执行 logistic 过程,分析地形对农户使用农机行为的影响 */
/*************************************************/

proc logistic data = &dsname des;            /* 模型计算的是农户使用农机的概率 */
model Y_N = R_LC R_NA
        Area_Pd Wage_Ad Wage_NAd terrain ;
title1 &dsname;
run;
title;
```

1.5　分析不同类型农户使用农机行为的程序代码

```
    /*************************************************/
    /* 此程序用于对不同类型农户使用农机行为作实证分析 */
    /*************************************************/
```

```
%let dsname = machinery;                    /* 宏变量存储生成的数据集名称 */
%let dsname2 = doctor.data_original;        /* 宏变量存储原始的数据集名称 */

    /**********************************************/
    /* 获得与劳均收入 (PC_Inco) 的上四分位数或均值 */
    /* 并存储到宏变量 P3_Inco 中,供后面调用。*/
    /**********************************************/
data Inter_Var ;
set &dsname2 (keep = Income Popu_W);
PC_Inco = Income/Popu_W;    /* 计算劳均收入变量,并存储到数据集 Inter_Var 中 */
run;

proc univariate data = Inter_Var;
var PC_Inco;
title1 &dsname;
output out = data_mean q3 = x1;       /* 将上四分位数值输出到数据集 data_
                                         mean 中,
                                         如果要输出均值则将 q3 改为 mean。*/
run;
title;

proc sql;
select x1 into:P3_Inco from work.data_mean ; /* 将查询到得值传递给宏变量 */
quit;
```
```
    /****************************************/
    /* 生成数据集 &dsname,供后面的统计过程调用 */
    /****************************************/

data &dsname(drop = Popular Popu_W Popu_NA Popu_PA Popu_A Time_NA Time_PA
            Time_A Time_L Area_D Rent_P Rent_E Income Inco_NA
            Wage_A Wage_NA);   /* 新建的数据集中去掉原数据集中不用的变量 */
set &dsname2 (drop = Address Expen Expen_P);
                                    /* 去掉原数据集中不参与处理的变量 */


R_LC = Popular/Popu_W*10;        /* 计算劳动消费比率,单位:10 个百分点 */
R_NA = (Time_NA + Time_PA)
```

```
            /(Popu_W*12)*10;          /*计算非农劳动时间比率,单位:10个百分点 */
Wage_Ad = Wage_A*30/100;              /* 计算农户意愿务农工资,单位:100元/月 */
Wage_NAd = Wage_NA/100;               /* 计算农户意愿务工工资,单位:100元/月 */
Area_Pd = Area_P*10;                  /* 计算水田面积,单位:0.1公顷 */
PC_Inco = Income/Popu_W;

if PC_Inco > &P3_Inco then            /*根据劳均收入的上四分位数,将农户分类 */
    Style1 = 1;
else Style1 = 2;

if (Time_NA + Time_PA) = 0 then       /*根据是否从事非农业,将农户分类 */
    Style2 = 1;
else Style2 = 2;

label R_LC = '劳动消费比率'
      R_NA = '非农劳动时间比率'
      Wage_Ad = '农户意愿务农工资'
      Wage_NAd = '农户意愿务工工资'
      Area_Pd = '农户水田面积';
run;

    /*********************************************/
    /*执行 means 过程,分析不同类型农户指标的总体均值 */
    /*********************************************/

proc means data = &dsname;
class Style1 Style2;
run;

    /*********************************************/
    /*执行 logistic 过程,分析不同类型农户使用农机行为 */
    /*********************************************/

proc logistic data = &dsname des;    /*模型计算的是农户使用农机的概率 */
model Y_N = R_LC R_NA Area_Pd Wage_Ad Wage_NAd Style1 Style2;
title1 &dsname;
run;
```

title;

2 农户调查表格

农户对农地投入的问卷调查表

尊敬的村民朋友:

您好!

近年来,国家出台了一系列的惠农政策(如种粮补贴、取消农业税、农机补贴、农资补贴等)。这些政策的执行情况怎样?效果怎样?广大农民朋友是怎样评价的?对此有何意见和建议?我们此次调查的目的就是要了解农民朋友这方面的真实想法和意愿,反映你们的心声。您提供的信息将为国家进一步修订与完善农村政策提供重要的参考依据。对于您的有关信息,我们将严加保密。

非常感谢您的支持与配合!

华中农业大学土地管理学院
2009 年 5 月

一、农户基本特征调查

1. 调查对象: _____ 县(区、市)_____ 乡(镇)_____ 村 _____ 组。

2. 目前家庭基本情况:

与户主关系	性别	年龄	婚姻状况	受教育程度	职业			
					务农	务工	学生	其他
户主								

二、投入情况调查

（一）土地要素

1. 农地基本情况

（1）近年耕地情况：

年份	承包耕地面积（亩）			租给他人耕种的面积（亩）		租种他人承包地（亩）		抛荒面积（亩）	
	小计	水田	旱地	水田	旱地	水田	旱地	水田	旱地
2008									
2007									

水田主要种植的作物：①双季稻　②中稻　③油菜　④棉花　⑤蔬菜　⑥其他_____

旱地主要种植的作物：①红薯　②小麦　③土豆　④花生　⑤蔬菜　⑥其他_____

（2）您认为您家人均农地面积是否足够?
　①面积太多　　　　　　　②面积太少
　③面积适当　　　　　　　④其他

（3）您承包的土地是从_____年开始承包，承包期限是_____年。

（4）您家承包的土地调整过_____次，最近一次土地调整是_____年。

（5）您家目前所承包的水田情况：

水田块数（块）	最大一块水田的面积（亩）	最小一块水田的面积（亩）	旱涝保收水田的面积（亩）	你认为适合机械耕作的水田面积（亩）

（6）农地未流转农户调查：

1）您现在没有转出土地的主要原因是（多项）___ ___。
　①除了务农，没有其他活可干
　②耕种土地并不需要花太多劳动力，自己完全有能力耕种
　③转出收入比自己耕种土地的收入低，不愿转出
　④想转出，但没人愿意要或出价太低

⑤想转出，但村集体组织不同意

⑥担心转出后，收益得不到保证

⑦担心转出后，自己想种时难以收回

⑧转出的价格太低

⑨其他（请写明_____）

请排序：_____。

2）您现在没有转入土地的主要原因是（多项）_____。

①缺乏更多的劳动力

②耕种土地的效益太低

③没人愿意转让

④转入价格太高

⑤没有好的生产项目

⑥担心承包他人土地后，收益得不到保证

⑦土地负担太重，不敢承包

⑧其他（请写明_____）

请排序：_____。

（二）劳力要素

1. 您家劳力近年的投入情况：

年份	户主		家庭成员一		家庭成员二	
	务农天数	务工天数	务农天数	务工天数	务农天数	务工天数
2008						
2007						

2. 在农业生产中，请外来劳力的情况（请帮工代价，包括支付给帮工的生活费）：

年份	请帮工的人数（人）	请帮工的天数（天）	请帮工的时间（①农忙 ②全年）	帮工的来源（①亲戚 ②朋友 ③其他）	请帮工的代价（①付工资 ②换工）
2008					
2007					

3. 家庭成员用在农业生产上的劳动时间分配：

年份	用在粮食作物的时间/天	用在其他作物的时间/天
2008		
2007		

（三）流动资本投入情况调查

1. 对肥料投入的调查

（1）近两年肥料的投入情况：

项目	2008 年			2007 年		
	小计	粮食作物	其他作物	小计	粮食作物	其他作物
化肥/元						
农家肥/担						

注：1 担 = 100 斤。

（2）您确定给农作物施用化肥（时间、数量）的依据是什么？（可多选）

①父辈经验　　　　②自己的经验　　　　③政府指导（如农技站）
④企业指导　　　　⑤广播电视　　　　　⑥别人怎么做，我就怎样做

请排序：＿＿＿＿＿＿＿＿＿＿＿＿＿＿＿＿＿＿＿＿。

（3）您家使用农家肥的原因是什么？（可多选）

①自家有农家肥，不用可惜
②化肥较贵，使用农家肥可以省钱
③使用农家肥有利于保护居住环境
④使用农家肥，可以生产"绿色食品"
⑤化肥用多了，土壤会变结，农家肥可以改善土壤条件

请排序：＿＿＿＿＿＿＿＿＿＿＿＿＿＿＿＿＿＿＿＿。

2. 对农药、农膜、水费投入的调查

（1）近两年的投入情况：

项目	2008 年			2007 年		
	小计	粮食作物	其他作物	小计	粮食作物	其他作物
农药/元						
农膜/元						
水费/元						

（2）您确定给农作物打农药、（时间、数量）的依据是什么？（可多选）
　　①父辈经验　　　　②自己的经验　　　③政府指导（如农技站）
　　④企业指导　　　　⑤广播电视　　　　⑥别人怎么做，我就怎样做
请排序：_____。
3. 对种子投入的调查：

项目		2008 年			2007 年		
		小计	粮食作物	其他作物	小计	粮食作物	其他作物
购买种	数量/斤						
	金额/元						
自留种	数量/斤						
	金额/元						

（四）机械要素

1. 您家是否购买了农业机械_____。
　　①是　　　　　　　　②否
2. 购买农业机械情况：

项目	拖拉机	插秧机	收割机	抽水机	耕田机
购买时间					
购买方式					
总价格（元）					
自家出资额（元）					
政府补助金额（元）					
是否对外租赁服务					

注：购买方式：　　　　　　　①自家单独购买　　　　②与他人合作购买
　　　是否对外租赁服务：　　③不对外服务　　　　　④对外服务
　　　拖拉机：用于运输　耕田机：用于犁田

3. 您家租用他人农业机械的情况：

项目		拖拉机	插秧机	收割机	抽水机	耕田机
2008 年	租用时间/小时					
	租用费用/元					
2007 年	租用时间/小时					
	租用费用/元					

4. 你在选择请人工帮忙（需要付工资的情况）还是用机械帮忙时，主要考虑_____？

　　　①收费情况比较　　　　　　　　②快捷度比较

5. 在您是否购买农业机械时，您主要考虑什么？（可多选）

　　　①田块面积的大小　　　　　　　②有没有充足的资金

　　　③农产品销售价格　　　　　　　④能否开展农机租赁服务

　　　⑤农机维修服务是否方便　　　　⑥农机操作技能与知识

　　　⑦交通、地形限制

（五）对耕牛的调查

（1）您家目前养牛头数_____。

（2）养牛的方式_____。

　　　①合养　　　　　　　　　　　　②独自喂养

（3）养牛的目的是什么？（可多选）

　　　①犁田　　　　　　　　　　　　②积累农家肥

　　　③给别人犁田，赚钱　　　　　　④养牛仔卖钱

　　　⑤养奶牛卖钱

　　　排序：_____。

（4）您家今后是否还要养牛？

　　　①是　　　　　　　　　　　　　②否

（5）您今后准备养牛的原因是什么？（可多选）

　　　①犁田　　　　　　　　　　　　②积累农家肥

　　　③给别人犁田，赚钱　　　　　　④养牛仔卖钱

　　　⑤养奶牛卖钱

　　　排序：_____。

（6）您今后不准备养牛的原因是什么？（可多选）

　　　①没人放牛　　　　　　　　　　②没地方放牛

　　　③养牛成本高　　　　　　　　　④耕地面积大

　　　⑤准备买拖拉机犁田

　　　排序：_____。

（六）农田水利投入情况调查

1. 农田水利设施修建、维修采用何种方式？

　　　①全部由政府投资　　　　　　　②政府投资大部分，农民投劳

③农户出钱，集体组织修建　　　④农民自己出钱，自己修建

⑤几个农户合伙修建　　　⑥没人管理

排序：_____。

2. 农田水利设施投入量：

项目	2008 年	2007 年
年投劳情况/天		
投钱情况/元		

（七）现有传统生产工具的数量及其价值

（1）锄头的数量（　　　　），价值（　　　　）元；

（2）耙头的数量（　　　　），价值（　　　　）元；

（3）扁担箩筐的数量（　　　　），价值（　　　　）元；

（4）水车的数量（　　　　），价值（　　　　）元；

（5）犁耙的数量（　　　　），价值（　　　　）元；

（6）其他工具的价值（　　　　）元。

（八）转入农地农户调查

（1）转入他人承包地的原因是什么？（可多选）

①扩大粮食种植面积，增加种粮收入

②为了满足家庭口粮需要

③扩大蔬菜种植面积，增加种菜收入

④扩大经济作物种植面积，增加收入

⑤亲戚朋友的土地，租金低（或没有租金）

请排序：_____。

（2）在您是否再转入别人的承包地时，您主要考虑什么？（可多选）

①别人承包地的好坏　　　②别人所要的租赁费用的高低

③农产品销售价格　　　④家庭劳力的多少

⑤有没有充足的资金　　　⑥其他

请排序：_____。

（3）转入土地的状况_____。

①好　　　②一般　　　③差

（好：旱涝保收，土地肥沃，交通方便。差：无灌溉排涝设施，土壤贫瘠，

交通不便。一般：灌排设施处于中等水平，土壤肥力一般，交通条件一般）

（4）转入的农地是否有期限：①是/②否，期限是_____。

（5）您是否期望转入农地的期限更长：①是/②否，那期望转入的农地的期限是_____年。

（6）转入农地的方式是什么？

①转包　　　　　②转让　　　　　③租赁　　　　　④互换

⑤反租倒包　　　⑥土地入股　　　⑦代耕　　　　　⑧其他

（7）您比较赞成的是哪种转入方式？

①转包　　　　　②转让　　　　　③租赁　　　　　④互换

⑤反租倒包　　　⑥土地入股　　　⑦代耕　　　　　⑧其他

（8）土地转入范围是_____。

①组内　　　　　②组外村内　　　③村外

（9）如果以后再转入土地时，您是否愿意转入村组集体组织之外的土地_____。

①可以　　　　　②不可以　　　　③无所谓

（10）转入农地的资金的来源为_____。

①自有资金　　　　　　　　　　②借贷

③部分借贷、部分自有（比例为_____）

（11）您进行转入农地的合同形式是_____。

①口头协议　　　②正式合同

（12）您认为法律对土地租赁合同执行_____。

①完全可以保证合同的执行　　　②有相当大的法律保护作用

③有比较大的作用　　　　　　　④有一点作用

⑤完全没有作用

（13）在农地流转时，需要花费_____时间才能成功流转。

①很少时间　　　②较少时间　　　③一般　　　　　④较多时间

⑤很多时间

（14）您转入土地时，找到合适转入土地的难易程度_____。

①非常容易　　　②比较容易　　　③不容易，也不难

④较难　　　　　⑤很难

（15）流转是否经过村集体组织的同意_____。

①是　　　　　　②否

（16）乡镇村集体组织是否支持农地流转_____。

①是　　　　　　②否

（17）在农地流转的过程中，村集体组织做了哪几个方面的管理？

①土地用途　　　　　　　　　②土地交易合同

③土地交易期限　　　　　　　④土地交易金额的大小

⑤交易的地块　　　　　　　　⑥没有管理

（18）农地流转过程中是否发生其他费用_____，占总租金的比例

为_____。

①是　　　　　②否

（19）农地流转的是否有中间人（或中介机构）_____。

①是　　　　　②否

（20）您如果要转入土地，更希望和谁直接打交道_____。

①村委会　　　②农户　　　③中介机构　　　④其他

（21）您希望政府在土地流转中落实好哪些政策？

①做成好中介，提供多种服务

②农民可与城市居民一样享受劳保福利

③提供稳定的非农就业门路

④放开城镇户口，没有任何限制

⑤制定相应法规，保障农民流转收益

⑥其他

（九）转出农户的调查

（1）租出自家农地或撂荒的原因是什么？（可多选）

①年青劳力在外务工，劳力不够

②生产资料价格过高，农业收入低下

③粮食价格较低，农业收入低下

④外出打工经商收入高，种地不合算

⑤种地太辛苦，外出打工经商

⑥其他

请排序：_____。

（2）转出农地的方式是什么？

①转包　　　　②转让　　　　③租赁　　　　④互换

⑤反租倒包　　⑥土地入股　　⑦代耕　　　　⑧其他

（3）转出的农地是否有期限：①是/②否，期限是_____。

（4）您进行转出农地的合同形式是_____。

①口头协议　　②正式合同

（5）您认为法律对土地租赁合同执行_____。

①完全可以保证合同的执行　　　②有相当大的法律保护作用

③有比较大的作用　　　　　　　④有一点作用

⑤完全没有作用

（6）转出对象是_____。

①亲朋　　　　②种田大户　　　③企业　　　　④集体经济组织

（7）土地转出范围是_____。

①组内　　　　②组外村内　　　③村外

（8）您认为农户是否可以把承包的土地转包、出租给外村人_____。

①可以　　　　②不可以　　　③无所谓

（9）你觉得转出土地的难易程度_____。

①非常难　　　②比较难　　　③一般　　　　④比较容易

⑤非常容易

（10）流转是否经过村集体组织的同意_____。

①是　　　　　②否

（11）乡镇村集体组织是否支持农地流转_____。

①是　　　　　②否

（12）农地流转的是否有中间人（或中介机构）_____。

①是　　　　　②否

（13）您如果要租出土地，更希望和谁直接打交道_____。

①村委会　　　②农户　　　　③中介机构　　④其他

（14）您希望政府在土地流转中落实好哪些政策？

①做成好中介，提供多种服务

②农民可与城市居民一样享受劳保福利

③提供稳定的非农就业门路

④放开城镇户口，没有任何限制

⑤制定相应法规，保障农民流转收益

⑥其他

（15）耕地流转的单位面积价格：

年份	转给他人耕种的价格/（元/亩）		转入他人承包地的价格/（元/亩）	
	水田	旱地	水田	旱地
2008				
2007				

三、产出情况调查

（一）产出情况调查

1. 您家粮食生产与消费情况：

项目	2008 年	2007 年
家庭类型（①；②；③）		

注：类型①为家庭粮食产量大于消费量，有粮食销售；类型②为家庭粮食产量等于消费量，不向市场销售粮食，也不从市场购买粮食；类型③为家庭粮食产量小于消费量，从市场购买粮食。

2. 耕地产出情况：

主要作物	2008 年				2007 年			
	种植面积/亩	总产量/斤	出售量/斤	出售价格/(元/斤)	种植面积/亩	总产量/斤	出售量/斤	出售价格/(元/斤)
水稻								
小麦								
油菜								
棉花								
蔬菜								
其他								

（二）农产品价格调查

1. 您是否了解农产品市场价格？
   ①很了解　　　　②了解　　　　③不了解　　　　④完全不知道
2. 您家农产品是如何销售？（若有多种渠道，请注明各个渠道的销售比例）
   ①粮食贩子收购（　　）　　　②卖粮公司收购（　　）
   ③政府收购（　　）　　　④产业化龙头企业订购（　　）
3. 主要农产品销售价格：

	市场价格/(元/斤)	近年来变化趋势	期望价格/(元/斤)
稻谷			
小麦			
油菜子			
棉花			

4. 假定农资价格不变，若农产品价格以较大幅度上涨（其他价格不变），你会做出哪种选择？（可多选）

  ①愿意租种别人的承包地，扩大种植面积

  ②不进城打工经商，回家种地

  ③增加农业生产投入（化肥、农药、种子、机械等）

  ④对我现在的工作和生活没有影响

  ⑤将自家的承包地转给别人种，进城打工经商

  ⑥改种价格较高的农产品

请排序：_____。

5. 假定农资价格不变，若农产品价格以较大幅度下降（其他价格不变），你会做出哪种选择？（可多选）

  ①将自家的承包地转给别人种，进城打工经商

  ②将自家的承包地抛荒，进城打工经商

  ③只耕种少量土地，满足自家口粮，将多余土地抛荒或转给别人种

  ④减少农业生产投入（化肥、农药、种子、机械等），粗放经营

  ⑤对我现在的工作和生活没有影响

请排序：_____。

（三）农户劳动主观评价

1. 若不能进城打工经商，但是可以在农村为别人种地，你希望的最低工资收入水平_____。

  ①≤20 元/天   ②21～30 元/天

  ③31～40 元/天   ④41～50 元/天

  ⑤51～60 元/天   ⑥61～70 元/天

  ⑦71～80 元/天   ⑧81～90 元/天

  ⑨91～100 元/天   ⑩>100 元/天

2. 若能够进城打工经商，你希望的最低工资水平_____。

  ①≤300 元/月   ②300～500 元/月

  ③500～700 元/月   ④700～900 元/月

  ⑤900～1100 元/月   ⑥1100～1300 元/月

  ⑦1300～1500 元/月   ⑧1500～1700 元/月

  ⑨1700～2000 元/月   ⑩>2000 元/月

四、收支情况调查

1. 总体情况：

项目		2008 年	2007 年
收入/元	小计		
	粮食销售收入		
	其他农产品销售收入		
	非农业收入		
	政策性收入		
支出/元	小计		
	生产性支出		
	生活性支出		
储蓄/元			

2. 近年来，您家生活性支出主要用在哪些方面？（可多选）
　　①建房　　　　　　②孩子上学费用　　　　　　③买家电
　　④医疗　　　　　　⑤人情往来费用　　　　　　⑥日常衣食住行

3. 近年来，您家生产性支出主要用在哪些方面？（可多选）
　　①购买农业机械　　②购买化肥、农药、农膜等　　③购买新品种
　　④运输费用　　　　⑤非农业生产　　　　　　　⑥养殖业生产

4. 您储蓄的目的是什么？（可多选）
　　①以后建房　　　②为孩子上学　　③养老　　　　④医疗
　　⑤做生意　　　　⑥买家电　　　　⑦农业生产投资　⑧儿女婚嫁
　　⑨暂时无目的储蓄

5. 对资金的调查

（1）您近年来是否借过钱_____。
　　①是　　　　　　②否

（2）您家在生产与生活上的借贷情况：

年份	用于消费上/元			用于生产上/元		
	小计	建房	其他	小计	非农业生产	农业生产
2008						
2007						

（3）您家借贷资金的来源：

年份	银行借贷比例/%	亲戚朋友借贷比例/%	其他/%
2008			
2007			

五、投入意愿调查

1. 今后您家是否愿意调整目前的农业生产结构？
　　①愿意　　　　　　　②不愿意　　　　③不清楚
（1）如果愿意调整，准备怎样调整？
　　①扩大粮食作物种植面积　　　　　　②扩大蔬菜种植面积
　　③扩大经济作物种植面积　　　　　　④其他_____
（2）进行农业生产结构调整的原因是什么？（可多选）
　　①农产品价格引导，价格高的多种植　　　　②政府引导
　　③生产资料价格引导，投入成本大的少种植　④其他

2. 您愿不愿意放弃土地承包经营权？
　　①愿意　　　　　　　②不愿意　　　　③无所谓
（1）您不愿意放弃土地承包经营权的原因是什么？（可多选）
　　①非农就业不稳定，怕失业后没退路
　　②怕粮食供应一旦紧张，有钱买不到粮食
　　③国家一系列惠农政策，今后种地获益增大
　　④放弃土地承包经营权没补偿
　　⑤集体分的土地，不要白不要
　　⑥土地会越来越值钱，放弃承包权损失太大
　　⑦除了种地，没有其他活可干
　　⑧种地还是有利可图
　　⑨其他
（2）在何种条件下，您愿意放弃土地承包经营权？（可多选）
　　①有较高的非农收入　　　　　　②有稳定的非农就业门路
　　③享受劳保福利　　　　　　　　④能迁入城镇定居
　　⑤政府或集体对承包经营权的放弃给予经济补偿　　⑥其他

3. 今后您家是否愿意增加对农业生产的劳动力投入？

①愿意　　　　②不愿意　　　　③保持不变

（1）在哪些情况下，您愿意增加对农业生产的劳力投入？（可多选）

①外出打工难度增大，打工收入减少

②粮食价格上涨　　　　　　　③种粮国家给补贴

④农业税取消　　　　　　　　⑤没有充足的资金购买农业机械

⑥国家投入农田基本设施的资金增加

⑦种植面积扩大

（2）在哪些情况下，您愿意减少对农业生产的劳力投入？（可多选）

①外出打工收入高　　　　　　②粮食价格下降

③种植面积减小　　　　　　　④农田基本设施长年失修

⑤购买了农业机械　　　　　　⑥农药化肥成本增加

4. 今后您家是否愿意增加对农业生产的化肥投入？

①愿意　　　　②不愿意　　　　③保持不变

（1）在哪些情况下，您愿意增加对化肥的投入？（可多选）

①化肥价格下降　　　　　　　②农产品价格上涨

③种粮国家给补贴　　　　　　④农业税取消

⑤种植面积扩大

⑥国家投入农田基本设施的资金增加

⑦农家肥增产效果不好　　　　⑧提高作物产量

（2）在哪些情况下，您愿意减少对化肥的投入？（可多选）

①化肥价格上涨　　　　　　　②农产品价格下降

③地然地理条件限制　　　　　④农田基本设施限制

⑤根据以往施肥数量的经验

（3）在哪些情况下，您对化肥的投入将保持不变？（可多选）

①土壤对肥力的吸收能力限制　②农作物对肥力的需求限制

③种植面积减小　　　　　　　④农田基本设施长年失修

⑤施用农家肥增加　　　　　　⑥化肥使用太多，对环境不好

⑦化肥使用太多，影响粮食质量，对身体不好

⑧根据以往的经验

5. 您今后是否愿意增加农家肥的投入？

①是　　　　②否　　　　③保持不变

（1）在哪些情况下，您愿意增加农家肥的投入？

①化肥价格大幅上升　　　　　②家畜家禽价格大幅上升

③农家肥可获得性增强

④土壤板结十分严重，施化肥效果差

⑤农产品质量监测严格，绿色食品好卖且价格高

⑥收入减少，没有足够的钱买化肥　⑦种植面积减少

（2）在哪些情况下，您不愿意增加农家肥的投入？

①化肥价格大幅下降　　　　　　②家畜家禽价格大幅下降

③可以获得农家肥的途径减少　　④农家肥的效果比化肥差

⑤农产品质量监测不严格，绿色食品的销路和价格没有优势

⑥收入增加，有足够的钱买化肥　⑦种植面积增加

（3）保持不变的原因是＿＿＿＿＿＿＿＿＿＿＿＿＿＿＿＿＿＿＿＿＿＿＿＿＿＿＿。

6. 您今后是否准备购买农业机械？

①是　　　　　　　②否

（1）在哪些情况下，您愿意购买拖拉机等农机具？（可多选）

①准备租种他人的承包地，扩大耕种面积　②劳力少

③承包地面积大　　　　　　④购油、维修方便

⑤购买农业机械国家给补贴　⑥粮食价格上涨

⑦种粮国家给补贴　　　　　⑧农业税取消

⑨国家投入农田基本设施的资金增加

（2）在哪些情况下，您不愿意购买拖拉机等农机具？（可多选）

①太贵，资金有限　　　　　②田块面积小，不适应

③承包地面积小，购买不合算　④油价高，运行成本高

⑤粮食价格下降　　　　　　⑥购油、维修不便

六、其他情况调查

1. 您对农业产业化是否了解？＿＿＿＿＿＿＿

①没听说　　　②了解一点　　　③很熟悉

2. 如果政府有关部门推荐一种新的品种或新的种植技术，能大大提高产量，但也有一定的风险，您的态度是＿＿＿＿＿＿＿。（可多选）

①意愿马上而且100％地采纳

②拿出一部分土地进行试验

③资金允许就采纳

④推广部门给予一定的保证就采纳

⑤产品有好的销路、能赚钱就采纳

⑥如果村里多数人采纳，我也采纳

⑦别人采纳成功后，我才采纳

⑧不采纳

3. 近年来，您认为哪一种生产资料价格（或费用）上涨较快？（可多选）

①化肥　　　　②农药　　　　③种子　　　　④农膜

⑤水费　　　　⑥运输费　　　　⑦汽油柴油费　　⑧其他

4. 您是否知道"绿色食品"？

①是指绿颜色的食品

②是指农药残留不超标的食品

③是指安全、优质的食品

④是指安全、优质，并经有关部门认定的食品

⑤以前没有听说过

5. 您认为对农地的投入是否会影响到农产品的质量？

①会　　　　　②不会　　　　③不清楚

6. 您认为以下哪些情况会影响到农产品质量？（可多选）

①化肥用多了　②农药打多了　③农家肥施多了

④收割与晾晒不当　　　　⑤储藏与运输不当

7. 近年来，您生产农产品，是否做过计划？

8. 您决定生产何种农产品的依据是什么？（可多选）

①父辈经验　　②自己的经验　③政府指导　　④企业约定

⑤市场行情　　⑥广播电视　　⑦别人种什么，我就种什么

9. 您了解以下哪些政策？（可多选）

①粮食收购价格政策　　　　②农机具购置补贴政策

③良种补贴政策　　　　　　④粮食直补政策

⑤测土配方施肥补贴政策　　⑥农资综合直补政策

⑦土地整理政策　　　　　　⑧农业生产保险

10. 您认为以下哪些政策对您家的农业生产有影响？（可多选）

①粮食收购价格政策　　　　②农机具购置补贴政策

③良种补贴政策　　　　　　④粮食直补政策

⑤测土配方施肥补贴政策　　⑥农资综合直补政策

⑦土地整理政策　　　　　　⑧农业生产保险

11. 如果这些政策的实施，使农业生产利润有所增加，您会_____。

①愿意增加播种面积　　　　②愿意减少播种面积

③愿意增加劳动力投入　　　④愿意减少劳动力投入

⑤愿意增加资金投入　　　　⑥愿意减少资金投入

⑦保持不变

12. 土地承包期限由 30 年变为长期承包后，您更愿意_____。

①愿意增加播种面积　　　　　　②愿意减少播种面积

③愿意增加劳动力投入　　　　　　④愿意减少劳动力投入

⑤愿意增加资金投入　　　　　　⑥愿意减少资金投入

⑦保持不变

非常感谢您的支持与配合！祝您身体健康！家庭幸福！